Verboden terrein

Verboden terrein

Kate Brian

Vertaald door
Tjitske Veldkamp

Van Goor

ISBN 978 90 475 0208 1

NUR 284

© 2008 Uitgeverij Van Goor

Unieboek BV, postbus 97, 3990 DB Houten

Oorspronkelijke titel **Invitation Only**

Copyright © 2006 by Alloy Entertainment and Kieran Viola

Published by arrangement with Simon Pulse,

An imprint of Simon & Schuster Children's Publishing Division

www.van-goor.nl

www.unieboek.nl

tekst Kate Brian

vertaling Tjitske Veldkamp

omslagontwerp en vormgeving binnenwerk Erwin van Wanrooy

1

Het was koud die avond. Koud en pikkedonker. Geen sterren, geen maan. Een kille wind rukte met elke vlaag handenvol bladeren van de takken. Ze waren nog nat van de motregen die die ochtend was neergedaald en bleven vies en slijmerig plakken op elk onbedekt stukje huid. We doken zo diep mogelijk weg in onze jassen toen er opnieuw een windvlaag over de heuvels joeg. Ik huiverde.

'Getsie, er zit er een in mijn nek!' Taylor Bell trok haar schouders op tot haar oren. Met één hand veegde ze vruchteloos over haar rug terwijl ze in de andere de fles wodka klemde waaruit ze al de hele avond zat te drinken. Een groot esdoornblad had zichzelf rond haar hals vastgezogen en plakte de blonde krullen die uit haar paardenstaart waren ontsnapt tegen haar huid. 'Haal 'm eraf!'

Normaal gesproken was Taylor niet zo'n drinker, maar vanavond sloeg ze sterke drank achterover alsof het limonade was. Misschien had ze, net als veel anderen, de behoefte om de herinnering aan het ouderweekend van zich af te schudden, dat een paar uur geleden was afgesloten met een ceremonie in de kapel van Easton Academy.

Haar ouders hadden me best aardig geleken en Taylor had de indruk gemaakt zich bij hen op haar gemak te voelen. Ik vroeg me af of haar misschien iets anders dwars zat.

'Jongens, haal dat ding van me af,' jammerde ze opnieuw.

Kiran Hayes nam een beschaafd slokje uit haar zilveren drankflesje en trok haar lange, kasjmieren jas strak om haar knieën. 'Ikke niet. Ik heb net een paraffinebehandeling gehad.'

Kiran was het eerste model dat ik ooit van dichtbij had meegemaakt en ze was ongelooflijk mooi. Ze had altijd net iets laten doen. Wenkbrauwen epileren, highlights, lowlights, een chemische scrub of een zeewierpacking voor haar dijen.

Het klonk allemaal nogal onaangenaam, maar zo te zien werkte het wel.

Noelle Lang haalde met een geïrriteerde blik het natte blad uit Taylors nek. 'Tutjes,' zei ze neerbuigend. Ze smeet het blad op de grond, waar het terechtkwam voor het platte rotsblok waar Ariana Osgood op zat. Ariana bekeek het blad onderzoekend alsof het het geheim des levens zou kunnen prijsgeven. Toen hief ze haar gezicht naar het windvlaagje dat haar lange, bijna witblonde haar bewoog en sloot genietend haar ogen.

Ik haalde mijn derde blikje bier uit de koelbox aan de andere kant van de open plek en bekeek het groepje met de blik van een antropoloog die een tot dan toe onbekende mensensoort heeft ontdekt. De Billings Girls hadden me gefascineerd vanaf het moment dat ik hen voor het eerst had gezien, vanuit het raam van mijn studentenkamer op Easton Academy. Het was een fascinatie op afstand geweest, schijnbaar zonder uitzicht op toenadering. Maar dat was niet lang zo gebleven. De Billings Girls waren nu mijn vriendinnen. Mijn clubgenootjes. De mensen met wie ik geregeld illegale feestjes hield in de bossen langs de rand van de campus.

Als je twee keer tenminste geregeld kon noemen.

Ik was nu een van hen en betekende dus iets op Easton. Hoe ik dat voor elkaar had gekregen? Geen idee. Nog onlangs had ik hun woede gewekt door te weigeren het uit te maken met mijn vriendje Thomas Pearson, die hun goedkeuring niet kon wegdragen. Ik dacht dat ik hen voor altijd kwijt was, toen ik hem zonder hun medeweten had aangeboden hem te helpen met zijn alcoholprobleem. Maar blijkbaar hadden ze er op de een of andere manier bewondering voor.

En gelukkig maar, want met hun hulp zou ik misschien het verleden achter me kunnen laten. Misschien zou ik ontsnappen aan het lot van al die andere mensen uit Croton, Pennsylvania, die na twee jaar op een slechte universiteit naar hun geboorteplaats terugkeren om assistent-manager te worden in de plaatselijke supermarkt. Met de steun van de Billings

Girls maakte ik een kans in dit leven. Had ik een toekomst. De mogelijkheid om deel uit te maken van een wereld waar ik tot nu toe alleen maar van had kunnen dromen – de wereld van succes, privileges en vrijheid.

'Gaat het Reed?' vroeg Noelle. Ze duwde haar lange donkere haar over haar schouder. 'Als je geen zin meer hebt in bier, wil Kiran vast wel een Hayes Special voor je mixen.'

Er vonkte iets ondeugends in haar ogen; waarschijnlijk was het haar opgevallen dat ik nogal in mezelf gekeerd was geweest. Ze moesten niet denken dat ik niet dankbaar was voor de uitnodiging en voor alles wat ze voor me gedaan hadden. Voor het feit dat ik nu een biertje voor mezelf haalde, in plaats van klusjes voor hen op te knappen. Want dat had ik sinds de eerste schoolweek voortdurend gedaan. Ik wuifde haar voorstel weg en hield het flesje omhoog. 'Nee, dit is prima.'

Ik haalde de kroonkurk eraf met de roestige flesopener en nam een flinke slok in de wetenschap dat ze nog steeds naar me keek. Eerder die avond had ik het eerste flesje bier van mijn leven gedronken. Dit was mijn derde en die ging al wat gemakkelijker naar binnen. Het idee was dat je grote slokken nam en het bier doorslikte voordat je het kon proeven. Juist. Heel verfrissend. Ik haalde diep adem terwijl er weer een kille windvlaag langskwam en ik huiverde in mijn trui. Ik wilde net weer naar de meisjes lopen toen mijn aandacht werd getrokken door een gesprek bij het kampvuur.

'Ik voorspel dat dit de geschiedenis ingaat als een van de beste verdwijntrucs ooit,' zei Dash McCafferty.

'Misschien zit hij bij zijn oma in Boston,' opperde Josh Hollis.

Dash haalde zijn schouders op. 'Volgens mij hebben ze het huis van dat mens al helemaal leeggehaald.'

Ze hadden het over Thomas. Het was niet te geloven dat hij hier de vorige keer nog geweest was. Het was nu ongeveer 48 uur geleden dat iemand Thomas Pearson gezien had. Hij was van Easton verdwenen zonder ook maar een briefje achter te laten. En volgens zijn kamergenoot Josh, die naast de andere jongens in de vlammen staarde, was hij vertrokken zonder ook maar iets mee te nemen, zelfs zijn favoriete zwarte T-shirt niet. Vrijdagochtend had Thomas nog tegen me gezegd dat hij van me hield. Hij had me laten beloven dat ik er voor hem zou zijn, wat er ook zou gebeuren, en vervolgens was hij van de aardbodem verdwenen.

Ik vroeg me af wat Josh wist over mij en over de dingen die Thomas en ik gedaan hadden. Had Thomas hem verteld dat we seks hadden gehad in hun studentenkamer? Was Thomas van het loslippige type? Ik wist het niet. Ik kende hem nog te kort om dat te weten. Maar elke keer als ik Josh zag, rilde ik bij het idee dat hij misschien dingen van me wist. Ik wilde niet dat de halve school ervan op de hoogte was dat ik naar bed was geweest met een jongen die het misschien goed bedoelde, maar die duidelijk te veel problemen had om een gezonde relatie mee op te bouwen. Naar bed geweest met een jongen van wie ik inmiddels (al voor zijn verdwijning) had ontdekt dat ik beter niets met hem te maken kon hebben, maar met wie ik toch een band voelde. Naar bed geweest met Thomas Pearson, die zoals ik onlangs had ontdekt, Eastons belangrijkste drugsleverancier was. Ik kon het nog steeds niet bevatten.

Josh nam een slok van zijn bier dat hij tot nu toe niet had aangeraakt. Het groene bierflesje in zijn hand paste niet bij zijn ronde babygezicht. Met zijn blonde krullen die dansten in de wind, de lange gestreepte sjaal en het gekreukelde roestbruine T-shirt onder een bruin ribjasje zag hij eruit als een serieuze, gedreven kunstenaar. Dat vond ik leuk aan hem. Dat, en het feit dat hij een harde stem had, zodat ik onopvallend het gesprek kon afluisteren.

'Zou hij niet in hun huis in Vail zitten?' vroeg hij.

'Welnee man, Pearson gaat echt niet op zo'n voor de hand liggende plek zitten,' zei Dash. Hij haalde luidruchtig zijn neus op. Voor zo'n knappe jongen – gebeeldhouwde trekken, blond, recht uit een kledingreclame – had hij wat smerige gewoontes. Hij spuugde in het vuur en nam een slok bier.

'Lekker, Dash,' riep Noelle vanaf de andere kant van de open plek.

'Bedankt, schat,' antwoordde hij en hij hernam het gesprek. 'Ik begrijp niet dat ze de plaatselijke politie hebben ingeschakeld. Zonde van de tijd. Als Pearson ergens zit, is het in New York.'

'Denk je?' De hoop in Joshs' stem deed de mijne weer opflakkeren.

'Ben je gek,' zei Gage Coolidge. Gage was van het magere, lange, metroseksuele soort. Met zijn donkere rechtopstaande haar zag hij eruit als een lid van een Engelse boyband. 'Thomas Pearson haalt gewoon de grootste stunt aller tijden uit. De complete oostkust is naar hem op zoek terwijl hij zich ergens suf aan het feesten is.'

'Ja, misschien,' zei Josh. Hij kauwde op de binnenkant van zijn wang en staarde naar het vuur.

'Niks misschien,' zei Dash. 'Geloof me nou maar. Over minder dan een maand is het Halloween. En je weet wat dat betekent.'

'De Legacy,' zei Josh.

'Precies.' Dash maakte een vinger los van zijn bierflesje en wees ermee naar Josh. 'Denk maar niet dat Pearson dat laat lopen. Ik verwed mijn notebook erom dat hij daar komt opdagen.'

'En dat wil wat zeggen,' zei Gage.

'Echt wel.'

'Maar je hebt wel gelijk,' knikte Josh. 'De Legacy is ondenkbaar zonder Pearson.'

'Man! Als hij daar is, slepen we die sukkel mee hiernaartoe en halen we onze medailles op,' zei Gage.

'Allright!' Dash gaf Gage een high five over het hoofd van Josh heen.

De Legacy? Wat was dát nou weer? Ik maakte me los van

de boomstam waar ik tegenaan had staan leunen. Noelle en de anderen zouden wel weten waar het over ging. Maar voordat ik een stap kon verzetten, stond Natasha Crenshaw naast me en sloeg haar arm om mijn nek.

'Hé, Reed! Waar ga je heen?'

Ik verstarde en vroeg me af wat ze van me wilde. Natasha Crenshaw was mijn nieuwe kamergenote in Billings. Maar dat was alleen te danken aan het feit dat haar beste vriendin, Leanne Shore, van school getrapt was vanwege fraude. Het had enorme commotie veroorzaakt. Natasha had gekookt van woede sinds ik gisterochtend mijn spullen had uitgepakt. De haat kwam uit haar poriën. Vandaar mijn verbijstering over haar toenadering.

'Gaat het?' vroeg ik.

'Prima hoor.' Ze lachte haar verblindend witte tanden bloot.

Natasha had een donkere huid, donker haar en het lichaam van Tyra Banks. Ik bloosde toen ik haar zachte rondingen tegen me aan voelde drukken. Zelf had ik een jongensachtig lichaam en ik vroeg me af hoe het moest zijn om met zo veel borst en bil rond te lopen. Ze trok me bij de jongens vandaan. 'Hé, moet je horen. Sorry dat ik de laatste dagen niet zo toeschietelijk ben geweest. Ik ben nog steeds een beetje ondersteboven van wat er is gebeurd met Leanne en dat heb ik op jou afgereageerd. Dat had ik niet moeten doen. Wil je me vergeven?'

Dat was nog zoiets met Natasha: ze was altijd zo recht voor zijn raap. In tegenstelling tot de anderen leek ze niets te verbergen te hebben, wat voor mij een onbekend concept was.

'Eh, natuurlijk…' zei ik onzeker.

'Mooi! Want ik wil graag dat we vriendinnen worden,' zei Natasha. Ze pakte mijn hand. 'Heel goede vriendinnen.'

Ze keek er zo oprecht bij, dat ik moest glimlachen, half geamuseerd en half gevleid.

'Oké. Dat wil ik ook graag,' zei ik.

'Mooi zo!' riep Natasha. Ze haalde een minuscuul

cameraatje uit de zak van haar leren jas en hield het met één hand omhoog, terwijl ze me met de andere naar zich toetrok.

'Lach eens.'

Ik lachte, de camera flitste en ik knipperde met mijn ogen om de ronddrijvende paarse vlekken van mijn netvlies te krijgen.

Natasha keek naar het schermpje. 'Niks meer aan doen.'

'Ja, gaaf.' Ik wierp een blik naar Josh en de anderen, die nu op gedempte toon stonden te praten. Ik vroeg me af of ze het nog steeds over Thomas hadden en of ze iets aan mij zouden loslaten.

'Ik eh... ben zo terug.'

Ik was net op weg naar het kampvuur toen de jongens plotseling als één man opkeken en 'Whittaker' in mijn richting schreeuwden.

Ik struikelde haast. 'Watte?'

'Mijne heren, mijne dames! Wat hartverwarmend om iedereen hier als vanouds bijeen te zien.'

Huh?

Vanachter mijn rug dook de grootste jongen op die ik ooit buiten een footballteam had gezien. Hij was bijna twee meter lang en minstens honderd kilo, maar hij droeg die kilo's met waardigheid. Rechtop en vol zelfvertrouwen liep hij op ons af. Hij had blozende wangen en een rond brilletje. Zijn haar zou niet misstaan hebben bij een volwassen man: aan de voorkant stond het in stekels rechtop en aan de achterkant was het met gel glad gekamd. Hij beende over de open plek, knikte minzaam naar de Billings Girls en gaf zich over aan talloze high fives met Dash, Gage, Josh en de andere jongens.

'Hoe vergaat het jullie allen op deze prachtige avond?' informeerde hij met luide stem. Hij stak zijn handen uit naar de vlammen, wreef ze tegen elkaar en hield ze toen weer bij het vuur.

Wie was dit in hemelsnaam? En waarom praatte hij als een personage uit een negentiende-eeuwse roman?

Gage grijnsde en nam een slok bier. 'Hoe was het in Oost-Azië? Is Chinees eten inderdaad lekkerder in China?'

Ik kon Whittakers antwoord niet verstaan omdat er net een windvlaag voorbijkwam, maar alle jongens moesten lachen om wat hij zei. Met geamuseerde, opgewonden blikken kwamen ze om hem heen staan. Het was alsof de kerstman zojuist de kleuterschool was binnengelopen. Ik draaide me langzaam om naar Noelle en de anderen.

'Hé Reed, ik dacht al dat je ons vergeten was,' merkte Noelle koeltjes op. Ze was het enige meisje van Billings dat bier dronk en dat was meteen de reden waarom ik dat ook deed. De rest had gekozen voor mixdrankjes, afkomstig uit de flessen die Kiran en de jongens hadden weten te bemachtigen. 'Ben je soms weer verliefd?' vroeg Noelle.

'Hoezo?'

'Je kunt je ogen niet van Whittaker afhouden,' mengde Kiran zich met glimmende ogen in het gesprek. 'Interessante keus.'

'Alsjeblieft zeg. Ik staar helemaal niet,' zei ik. 'Ik vroeg me alleen maar af wie dat is.'

'Whittaker?' zei Noelle. 'Dat is gewoon… Whittaker. Zoals hij is er maar één.' Ze keek rond in de kring van Billings Girls en glimlachte traag. 'Misschien moet ik je maar eens even voorstellen.'

Ze stond op, pakte me bij mijn pols en trok me mee over de open plek voordat ik een woord van protest kon laten horen.

'Hé, Whit!' riep ze en ze gebaarde met haar flesje.

'Dit is het meisje over wie ik het had.'

Met haar gespierde armen lanceerde ze me praktisch richting Whittaker. Ik was overvallen door de onverwachte snelheid waarmee het gebeurde en struikelde. Om mijn val te breken stak ik mijn handen vooruit en kwam tegen zijn borst tot stilstand. Natuurlijk barstten de jongens in lachen uit. Whittaker hield me overeind door me bij mijn ellebogen vast te pakken.

'Gaat het?' vroeg hij.

Hij had warme, bruine ogen.

'Niks aan de hand,' antwoordde ik gegeneerd.

Maar wacht eens. Had Noelle nou gezegd dat ik het meisje was over wie ze het had gehad? Wanneer dan? En waarom?

Whittaker stak zijn hand uit. 'Ik ben Walt Whittaker. Maar mijn vrienden noemen we Whittaker. Of Whit. Wat je maar prefereert.'

'Reed Brennan.' Ik schudde zijn hand, die verrassend zacht en warm was.

'Dus jij bent nieuw op Easton, heb ik begrepen. Welkom,' zei hij.

Zijn stem resoneerde op een prettige manier. Troostend en op de een of andere manier vertrouwd.

'Jij niet dan?' vroeg ik.

Nogmaals moest iedereen lachen, zelfs Whit. 'Nee, nee. Mijn familie maakt al generaties lang deel uit van het meubilair hier,' zei hij. 'Ik ben net terug van vakantie met mijn ouders. We hebben een rondtocht gemaakt door Oost-Azië. China, Singapore, Hongkong, de Filippijnen… Heb jij veel gereisd, Reed?'

Niet bepaald nee. Tenzij je de uitjes naar het pretpark meetelde in de tijd dat ik nog roze gympen droeg.

'Niet echt, nee.'

Hij keek me lang en doordringend aan, alsof er iets niet klopte aan mijn antwoord. Ik kreeg het warm onder zijn onderzoekende blik.

'Wat jammer,' zei hij. 'Je kunt jezelf pas werkelijk doorgronden als je iets van de wereld gezien hebt.'

Ik deed mijn best om een antwoord te verzinnen dat niet naïef en onbenullig zou klinken, toen Gage Whittaker op zijn schouder sloeg.

'Kom nou eens hier, man! We hadden het net over de Legacy. Vertel ons eens wat je daarvan weet.'

Whittaker grijnsde. 'Ah, de Legacy. Dus het is weer zover.'

Waar ging dit toch over? Ik wilde het wel vragen, maar het zou wel weer een van die dingen zijn waar ze allemaal van op de hoogte waren. Mijn vragen zouden pijnlijk aan het licht brengen dat ik helemaal niets wist. Dat ik een complete buitenstaander was. Ik besloot mijn mond te houden in de hoop dat ik er te zijner tijd iets over zou opvangen.

'Misschien spreken we elkaar straks nog,' zei hij tegen mij.

'Ja, eh… vast wel.'

Gage trok Whittaker weg voor een onderonsje met de andere jongens en Noelle dook naast mij op.

'En? Is hij al onder de indruk van je charmes?'

'Heb je het met hem over mij gehad?' vroeg ik.

Noelle haalde haar schouders op. 'Ja. Ik dacht dat jullie maar eens kennis moesten maken. Whit kan een hoop voor je betekenen. Hij heeft een enorme… algemene ontwikkeling.'

Ik probeerde geen aandacht te besteden aan de beledigende boodschap van die opmerking.

'Noelle, ik heb een relatie met Thomas, weet je nog?' zei ik. Het kon me niet schelen dat ze het daar niet mee eens was. Zijn verdwijning maakte alle andere zorgen onbelangrijk.

Ze keek met een zure blik om zich heen. 'O ja. En waar is Thomas ook alweer…?'

Mijn maag trok samen. 'Dat eh… weet ik niet.' Over Noelles schouder heen zag ik dat Ariana, Kiran en Taylor kwamen aanlopen, duidelijk geïnteresseerd in het onderwerp van ons gesprek onder vier ogen.

'Precies. Leuk vriendje, dat zomaar verdwijnt zonder jou te vertellen waar hij heen gaat. Of zelfs dát hij weggaat,' zei ze. Ze rolde geïrriteerd met haar ogen en nam nog een slok bier, zodat ik haar woorden tot me kon laten doordringen. 'Nee, dan Whit. Die is echt leuk. Een áárdige jongen.'

'In tegenstelling tot sommige anderen,' zei Kiran misprijzend.

Zelfs nu Thomas op mysterieuze wijze was verdwenen, konden ze hun minachting voor hem niet verbergen. Ze hadden hem nooit gemogen en dat zou niet veranderen.

'Bovendien,' mengde Ariana zich in het gesprek, 'kun je van Whit bepaalde dingen krijgen. Dingen waar je anders niet aan zou kunnen komen.'

Dingen krijgen? Wat bedoelde ze daar nu weer mee?

Ariana staarde naar Whit met haar helderblauwe ogen en ik vroeg me af of hij het voelde. Of hij het net zo ongemakkelijk vond als ik.

'Wat dan?' vroeg ik.

'Een leven, bijvoorbeeld,' zei Kiran cynisch.

'Kiran!' zei Ariana bestraffend.

'Ga nou maar met hem praten,' zei Noelle. 'Je hoeft niet direct met hem te trouwen.'

Ik haalde diep adem en nam een laatste slok bier, terwijl ik Whit gadesloeg. Hij leek me aardig. Beleefd en volwassen. En de jongens waren duidelijk dol op hem. Hij was misschien iets te zwaar, maar wat ging mij dat aan?

'Ga hem dit maar brengen,' zei Kiran. Ze gaf me een heupflesje met haar Special Hayes. 'Whittaker is dol op mijn brouwsels.'

Daar stond ik met het ijskoude, gladde flesje in mijn ene en mijn fles bier in de andere hand. Misschien moest ik deze door de Billings Girls goedgekeurde jongen een kans geven. Ik was nu tenslotte ook een Billings Girl. Dan moest ik me er ook maar eens naar gaan gedragen.

2

'Het was echt een eyeopener om tussen de lokale bevolking te leven,' zei Whittaker terwijl we bij de open plek vandaan slenterden. 'Ze bezitten niets. Alleen een houten kom en een kopje rijst. Maar ze zijn enorm spiritueel. Begrijp je wat ik bedoel?'

'Dus je overnachtte in hun dorp?' vroeg ik met mijn blik strak op mijn voeten gericht. Ik was aan mijn vierde biertje bezig en alles werd een beetje wazig. 'Gaaf zeg.'

Ik kon me niet meer herinneren wiens idee het was geweest om met zijn tweeën ergens anders verder kennis te maken. Van hem? Van mij? Van Noelle?

'Nee, we sliepen uiteraard in het hotel,' zei Whit. 'Weet je wel wat voor ziektes je in zo'n dorpje kunt krijgen?'

Ik keek vragend opzij. 'Maar je zei toch dat je onder de bevolking leefde?' Op dat moment struikelde ik over een steen en mijn enkel vouwde dubbel. Zijdelings viel ik tegen Whittaker aan.

'Oeps.'

Whittaker pakte me vast met twee massieve armen. 'Gaat het wel?'

Ik schraapte mijn keel. De bomen golfden en dansten om me heen.

'Ja, uitstekend,' zei ik, in een poging dezelfde beschaafde conversatietoon te vinden als hij.

'Wellicht moeten we even gaan zitten,' stelde hij voor.

Nu begon de grond ook schuin te zakken. Hoe kwamen mensen erbij dat drinken leuk was? Het was misselijkmakend.

'Ja, dat lijkt me een goed idee.'

Whittaker leidde me naar een dikke boomstam die ergens in de vorige eeuw was omgevallen en nu was begroeid met mos en klimop. Hij hield me vast tot ik stevig zat en liet me toen pas los. Ik hield me vast aan het koude, ruwe hout om niet voorover te vallen en schudde mijn haar uit mijn gezicht. Whittaker ging naast me zitten en keek me met een glimlach aan.

'Noelle had gelijk. Je bent inderdaad erg mooi,' zei hij. 'Een klassieke schoonheid, net als Grace Kelly.'

'Grace wie?' vroeg ik.

Whittakers glimlach werd breder. 'Een actrice. En een prinses. Een ongelooflijk verhaal eigenlijk: ze begon als arm boerenmeisje, werd gigantisch beroemd in Hollywood, trouwde met een Europese prins...'

'Klinkt goed,' zei ik.

'...en kwam vervolgens om tijdens een ernstig auto-ongeluk,' maakte Whittaker zijn zin af.

'O.' Nou, leuk verhaal.

Whittaker bloosde en wendde zijn blik af terwijl hij een slok uit het flesje nam. 'Wil je ook wat?'

Ergens wist ik wel dat het waarschijnlijk geen goed idee was om nog meer te drinken, maar ik wist ook dat Kiran altijd vruchtensap door haar brouwseltjes deed. En vruchtensap was gezond, toch? Met al die vitamines en zo.

'Nou, graag,' zei ik.

Ik zette het bijna lege bierflesje op de grond en viel er bijna overheen. Ik kwam met mijn handpalm op de grond terecht en duwde mezelf weer omhoog in een poging te doen of er niets aan de hand was. Maar ik was mijn evenwicht kwijt en toen ik naar de fles reikte, viel ik in Whittakers armen. Vol schaamte sloot ik mijn ogen en opnieuw helde de grond over. Heel fijn. Nu begonnen mijn hersens het ook nog te begeven.

'Sorry,' zei ik.

'Het geeft niet,' antwoordde Whittaker. 'Kom maar, ik help je wel even.'

Ik voelde me direct minder duizelig toen hij een robuuste arm om me heen legde. Met enige moeite draaide ik de dop van de fles en nam een lange teug. Mmmm. Dat Hayes-spul smaakte goed. En Whittaker voelde lekker warm. Ik sloot genietend mijn ogen en zette nogmaals de fles aan mijn mond. Weer dat duizelige gevoel. Van schrik verslikte ik me, en happend naar adem sproeide ik alcohol alle kanten op.

'Gaat het?' vroeg hij.

Ik boog me benauwd voorover. 'Ja hoor. Niks aan de hand.' Whittaker trok een zakdoek uit zijn zak en gaf hem aan mij. Ik hoestte in de zachte stof en veegde mijn gezicht af. De zakdoek rook naar aftershave. In de hoek stonden Whittakers initialen geborduurd. Helemaal zoals het hoorde, constateerde ik. Iedereen die ik kende gebruikte papieren zakdoekjes, maar op de een of andere manier was ik niet verbaasd dat hij een zakdoek van textiel had.

'Sorry,' zei ik toen ik eindelijk weer adem kon halen. Ik wilde hem de zakdoek teruggeven, maar zijn hand sloot zich om de mijne.

'Hou maar.'

Ik bloosde.

'Je vindt me vast een enorme sukkel,' probeerde ik luchtig.

Hij keek in mijn ogen. 'Integendeel. Ik vind je heel bijzonder.'

Toen kuste hij me. Hé, dat was bepaald niet de bedoeling! Ik moest Walt Whittaker niet zoenen. Ik moest Thomas zoenen. Thomas, mijn vriendje. Thomas, die knappe jongen aan wie ik mijn maagdelijkheid verloren was. Was hij maar hier. Wist ik maar waar hij was, verdorie. De gedachte aan Thomas spoelde over me heen. Thomas. Thomas. Thomas. Zijn lippen, zijn handen, zijn vingers, zijn tong…

En plotseling kuste ik Thomas. Ik voelde zijn heerlijke, warme lippen; zijn sterke, pezige armen. Ondanks alles wat er de laatste dagen gebeurd was, miste ik zijn aanraking. Dat was het enige wat altijd klopte. Half buiten mezelf sloeg ik mijn armen om Whittakers brede nek, wat voor hem een teken was om verder te gaan. Met onhandige, ruwe bewegingen bewoog hij zijn lippen over de mijne in een tempo alsof hij vuur wilde maken. Ik pakte zijn gezicht vast met mijn handen om een einde te maken aan zijn pogingen, maar dat vatte hij op als een teken van enthousiasme. Plotseling voelde ik zijn tong tussen mijn lippen en in mijn mond.

De arme jongen had geen idee hoe het moest. Ik wilde hem het liefst wegduwen, maar hoe moest ik dat aanpakken zonder hem in verlegenheid te brengen? Ik liet hem zijn gang maar gaan, in de hoop dat hij door zou krijgen hoe het moest, of zou stoppen om adem te halen.

Toen voelde ik plotseling zijn grote hand op mijn borst. Hij kneep er hard in alsof hij een sinaasappel uitperste. Op hetzelfde moment was Thomas terug en wist ik weer hoe het met hem altijd geweest was. Thomas met zijn sexy glimlach, zijn ervaren, zachte handen; zijn huid tegen de mijne. Waar was ik in hemelsnaam mee bezig? Wie was die vent die me betastte alsof ik een EHBO-oefenpop was?

Met schrik voelde ik hoe de inhoud van mijn maag omhoog kwam. Overgeven. Ook dat nog. Ik stond op het punt te gaan braken, recht in Walt Whittakers mond.

Met een ruk duwde ik hem van me af. Terwijl hij verward iets mompelde, draaide ik me om, boog me voorover en braakte over de bladeren achter de boomstronk. Mijn ogen prikten, mijn keel brandde en mijn maag trok pijnlijk samen. Whittaker stond op en liep een stukje van me weg om me wat privacy te geven. Gelukkig maar. Kotsen onder de ogen van een jongen die ik net had gekust, was werkelijk het laatste wat ik wilde.

'Gaat het weer?' vroeg hij toen het eindelijk over was.

Die zin had ik die avond vaker gehoord.

Ik knikte langzaam, te beschaamd om een woord uit te brengen.

'Zal ik je terugbrengen naar Billings?' vroeg hij.

Ik knikte nogmaals. Whittaker stak zijn hand uit en hielp me overeind. Hij legde zijn arm om me heen en samen liepen we terug naar de open plek. Ik leunde tegen hem aan, slap als te lang gekookte spaghetti. Toen we bij de anderen terugkwamen, staarde iedereen ons aan. Ik zag er ongetwijfeld niet uit. Heel even kruiste mijn wazige blik die van Josh. Zijn gezicht stond strak.

'Ach, kijk die duifjes eens,' zei Noelle met een veelzeggende blik.

'Ik breng haar even terug,' zei Whittaker. Hij klonk trots.

'Briljant idee,' mompelde Dash.

Noelle gaf Whit een schouderklopje. 'Zul je goed op haar passen?'

Met mijn laatste krachten wist ik een zwak glimlachje tevoorschijn te toveren. Zelfs in mijn huidige gammele en beschaamde staat, kon ik Noelles goedkeuring voelen. Ik had iets gedaan waar ze van onder de indruk was en dat was in elk geval goed. Hoe gunstiger de indruk die Noelle van me had, hoe beter.

3

Het eerste waar ik me van bewust werd, was de smerige rioolsmaak in mijn gortdroge mond. Toen van de stekende pijn in mijn schedel. Vervolgens drong het tot me door dat ik het koud had en ten slotte hoorde ik het lawaai.

Getrommel. Onophoudelijk getrommel.

'Kom op, nieuwe! Het is al zes uur geweest. Als je zo doorgaat bereik je nooit iets!'

Elke bons die weerkaatste tegen de binnenkant van mijn hoofd zorgde voor een nieuwe steek van pijn.

Met moeite opende ik mijn pijnlijke, droge ogen. Voor me zag ik de crèmekleurige muur van mijn kamer en onder me voelde ik mijn matras. Maar dat was het enige wat klopte.

'Vooruit, slaapkop. De vakantie is voorbij. Opstaan, lui varken.'

Het was Noelle die daar boven het gebons uit stond te schreeuwen. Ik draaide me op mijn rug, wat een nieuwe pijnscheut in mijn hoofd opleverde, en ik keek omhoog. Mijn maaginhoud kwam naar boven. Over me heen hing niet alleen Noelle, maar ook Kiran, Taylor, Ariana, Natasha en vier andere Billings Girls van wie ik me de naam vanwege de enorme hoofdpijn even niet kon herinneren. Kiran sloeg met het handvat van een schaar op een rood met zwarte trommel. Noelle had iets wits met ruches over haar arm hangen. Taylor stak me met een vastberaden blik een Swiffer toe. Haar holle blik en roodomrande ogen verrieden een kater. Natasha, aan het voeteneind, had de dekens van me af getrokken – vandaar het kippenvel.

Ik kneep mijn ogen dicht. 'Wat moeten jullie van me?' jammerde ik.

Gelukkig hield het getrommel op. Ik duwde mijn handen tegen mijn voorhoofd om de pijngolven in mijn hersenpan in te dammen.

'Het is tijd voor je corvee, nieuwe,' zei Noelle.

Ik trok verbijsterd mijn wenkbrauwen op, wat zorgde voor een nieuwe pijnscheut achter mijn slapen. 'Hoezo?'

Ze pakte me bij beide polsen en trok me met een ruk overeind. Er volgde een explosie in mijn hoofd en ik voelde een enorme aandrang om over te geven. Ik hapte zwetend naar adem en bad in stilte dat ik niet in aanwezigheid van iedereen zou hoeven braken. Noelle trok het witte ding over mijn hoofd en bond het achter mijn rug vast. Toen ik erin slaagde mijn ogen weer open te doen, zag ik dat ik een wit schortje over mijn pyjama droeg. Op het linker schouderbandje zat een rode button met de tekst: HULP NODIG? ZEG HET MAAR. IK HEET GLUURDER.

Ik kreunde. Voor iets anders had ik de energie niet.

'Je dacht toch niet dat je al klaar was?' vroeg Kiran. Haar gehighlighte haar was opgestoken en haar donkere huid glom tegen de achtergrond van haar witzijden jurk alsof hij was opgewreven.

Gisteravond had ze het meest achterovergeslagen van iedereen en toch zou ze nu zonder problemen een fotoshoot kunnen doen. 'Nee, nee, nee. Waarom dacht je nou dat we je toegelaten hebben? Om je permanent beschikbaar te hebben natuurlijk. En dat betekent dus dat je altijd voor ons moet klaarstaan. Zo zit het toch?' Bij die laatste woorden keerde ze zich quasiserieus tot haar vriendinnen.

'Ja, dat lijkt me logisch,' antwoordde Ariana. Haar licht zuidelijke accent verzachtte haar harde woorden enigszins.

Waren ze gek geworden? Kwamen ze me echt uit bed sleuren om me met mijn eerste kater aan het werk te zetten? Was het dan nog niet klaar na alles wat ik voor hen gedaan had om hier binnen te komen? Ik had gedacht dat de proeftijd nu eindelijk voorbij was. Dat ik nu officieel een van hen was. Maar klaarblijkelijk begon de kwelling nu pas echt.

Plotseling voelde ik me volledig leeg van binnen, wat in combinatie met de dreunende hoofdpijn en de golven van misselijkheid behoorlijk onaangenaam was. Maar wat moest ik? Weigeren? Echt niet. Dan zou ik in een oogwenk weer een onbetekende eerstejaars in Bradwell zijn.

Taylor duwde me de Swiffer in mijn handen. Normaal was ze altijd even fris en aantrekkelijk, maar door de kater zag ze er minstens tien jaar ouder uit. 'Hier. Sinds ik hier ben is er niet onder mijn bed gestoft. Vreselijk slecht voor mij allergie.'

Ik pakte het ding sprakeloos van haar aan en hield het tegen mijn borst, bang als ik was voor wat er zou gebeuren als ik me bewoog. Waarschijnlijk zou mijn hoofd loslaten van mijn romp.

'En als je daarmee klaar bent, kun je de bedden opmaken,' zei Noelle. 'En de gangen stofzuigen. Vóór het ontbijt graag. De stofzuiger staat in de gangkast.'

Ik staarde hen aan, met kloppende slapen, hopend dat ze allemaal in lachen zouden uitbarsten en zouden zeggen dat het een grap was, maar ze staarden ongeduldig terug.

'Jullie menen het, hè?' zei ik schor.

Noelle trok haar neus op en wuifde met haar hand voor haar gezicht. 'Ik zou eerst maar eens gaan spoelen met Listerine als ik jou was. De hele kamer stinkt naar je adem.'

Een van de meisjes van wie ik de naam niet kende hield haar hoofd schuin. 'Hm, nog steeds Gluurder? Moeten we haar niet een meer toepasselijke bijnaam geven? Kontlikker?'

'Hielenlikker?' stelde Taylor voor.

Noelle kneep haar ogen nadenkend samen. 'Neuh. Dat zit er allemaal nét naast. Gluurder past toch het beste bij haar.'

Ik kromp ineen toen ze me – hard – op mijn schouder sloeg.

'Kom meisjes,' zong ze.

Gezamenlijk trippelden ze de kamer uit, behalve Natasha, die mijn lakens op de grond liet vallen en eroverheen liep op weg naar onze gemeenschappelijke badkamer. Ik wilde best gaan staan. Echt. Maar het leek me fysiek niet mogelijk met de pijn in mijn hoofd, mijn samenkrimpende maag en mijn droge keel.

Noelle bleef even staan bij de deur. 'O, en als het niet klaar is voor het ontbijt, loop je vanavond alle wc's langs met een tandenborstel. Jouw tandenborstel.'

Ik ging rechtop staan. 'Ik ben er al uit.' De kamer kwam op me af en ik deed mijn ogen dicht om een golf van misselijkheid te onderdrukken.

'Goed zo,' zei Noelle.

Toen sloeg ze met een nadrukkelijke klap de deur dicht.

4

'Ik wil mijn kussens graag goed opgeschud hebben,' zei Cheyenne Martin. Ze deed een paar diamanten oorknopjes in haar oren die afkomstig waren uit een imponerende verzameling prachtige flonkerende juwelen in een fluwelen doosje. Ze keerde zich naar de spiegel en streek haar reeds perfect steile, blonde haar glad. Toen nam ze zichzelf met een hooghartige blik van onder tot boven op. Vanaf het moment dat ik was binnengekomen in de overdonderend geparfumeerde kamer die ze met Rose Sakowitz deelde, had ze me lopen commanderen zonder me ook maar één keer aan te kijken. 'En stop de lakens lekker strak in. Ik wil vanavond niet in een kreukelig bed stappen.'

Ik streek met mijn hand over de hobbels in het sierkussen van natuurzijde. Ik wilde maar een ding: mijn hoofd erop leggen. Dit was mijn veertiende bed. Dat van Rose was nummer vijftien. En dan mijn eigen bed: zestien. Maar dat kwam pas na het stofzuigen. Ik vreesde dat ik aan mijn eigen bed nooit zou toekomen, ik zou tijdens het stofzuigen geveld worden door een hersenbloeding. De Miele-moord.

'Heb je gehoord wat ik zei, Gluurder?' vroeg ze. Ze vereerde me met een blik vanuit haar ooghoek.

'Ja,' antwoordde ik met mijn kraakstem. 'Kussens opschudden. Geen kreukels.'

Ze keerde zich naar me toe en haalde diep adem. Hoe iemand hier diep kon ademhalen ontging me.

Ze trok aan de manchetten van haar gestreken Ralph Lauren-blouse. 'Precies. Ik zei al tegen de meisjes dat je dit goed zou kunnen. Je hebt een authentieke arbeidersuitstraling.'

Ik bevroor met een van haar kussens in mijn handen. Hoorde ik dat goed? Ik was zo verbijsterd dat ik geen samenhangende gedachte kon formuleren. Dood, dood, dood, was het enige wat bij me opkwam.

'Cheyenne,' zei Rose bestraffend. Ze pakte een grote leren tas van haar bureaustoel. Rose was een klein, superdun meisje met halflang rood haar en restjes van een oranje-achtig zomerkleurtje. Ik vroeg me af hoe ze erin slaagde die tas op te tillen zonder om te vallen. 'Luister maar niet naar haar,' zei ze.

Ik dwong mezelf te glimlachen en wierp Cheyenne een vernietigende blik toe, die met gemak haar vier lagen Estée Lauder-foundation had kunnen laten smelten.

'Hoe bedoel je? Ik bedoelde het als een complimentje!' zei Cheyenne. 'Dat begreep je toch wel, Gluurder?'

'Ja hoor,' zei ik met een geforceerde glimlach. 'Liever een arbeider dan een kakmadam,' mompelde ik.

Cheyennes gezicht betrok, maar ze herstelde zich snel.

'Er is hier iemand met een scherp tongetje,' zei ze kalmpjes. 'Wat zullen we eens doen om haar haar plek te wijzen?'

Ze pakte een grote pot blusherparels en keerde hem om boven het witgroen gebloemde vloerkleed in het midden van de parketvloer. 'O, wat doe ik nou!'

'Cheyenne!' riep Rose.

Cheyenne tilde haar voet op en vermorzelde de bolletjes in het hoogpolige tapijt. Het liefst zou ik haar bij haar perfecte haar grijpen en haar gezicht in het kleed begraven. Maar dat deed ik niet.

'Maak dat maar schoon als je klaar bent met de rest, Gluurder,' zei Cheyenne. 'Of heb je liever dat ik aan Noelle vertel hoe jij je gedraagt?'

Ze draaide zich om en verliet de kamer. Rose zuchtte en aarzelde even bij de deur.

'Maak je daar nu maar geen zorgen over. Dat kan vanavond nog wel,' zei ze. 'En doe maar niet te veel moeite met mijn bed. Trek maar gewoon de sprei erover, voor het geval Noelle komt controleren.'

'Komt ze controleren?'

Rose keek me meewarig aan. Ik was duidelijk te naïef voor woorden.

'Succes.'

Ze deed de deur zachtjes achter zich dicht en ik hoorde haar voetstappen zich verwijderen in de gang. Het studentenhuis was nu zo stil alsof het nacht was. Ik wierp een blik op de klok. Een halfuur om te stofzuigen, te douchen, me aan te kleden en te ontbijten. Niet dat ontbijt een aantrekkelijk vooruitzicht was, maar ik zou toch mijn gezicht moeten laten zien in de kantine, anders zou Noelle me vanavond de toiletten laten poetsen. Ik moest iets overslaan om alles op tijd klaar te krijgen. Douchen dan maar.

Zuchtend liep ik naar het bed van Rose. Ze had aardig tegen me gedaan, dus ik zou iets meer doen dan alleen de sprei erover trekken. Ik trok het dekbed recht en pakte het kussen op. Er zat iets vast tussen het bed en de muur. Ik zette mijn knie op het bed en keek nauwkeuriger. Het was iets kruimeligs. Groenachtig.

O nee!

Ik sloeg mijn hand voor mijn mond. Het was een stuk muffin. Een oud, schimmelig stuk muffin in een papiertje, dat Rose daar blijkbaar tussen had gepropt nadat ze in bed had liggen snoepen. Ergens in september, zo te zien. Zelfs in de rijke bovenlaag had je dus blijkbaar slonzen. Ik draaide me om, struikelde de badkamer binnen en liet me op mijn knieën op het linoleum voor de wc-pot vallen.

Geen beter begin van de dag dan even lekker overgeven.

5

Tegen de tijd dat ik kon gaan ontbijten in de kantine, waren de meisjes die de extra calorieën aandurfden toe aan een tweede portie. Het was mijn taak om die te gaan halen. Ik zat bepaald niet te wachten op de aanblik van voedsel, maar even later stond ik twee dienbladen vol te laden met toast, donuts, fruit en drinken.

De man achter de balie hield uitnodigend een lepel met slijmerige roereieren omhoog. 'Ei?'

Ik huiverde. 'Nee, bedankt.'

Voor mezelf pakte ik een kadetje en legde dat boven op de berg eten, in de hoop dat het me zou lukken wat brood naar binnen te werken. Even verderop deden twee eerstejaars jongens een poging om een mooi eerstejaars meisje met donkere krullen te versieren. Ik keek toe hoe ze stond te giechelen en draaien. Wat moest het heerlijk zijn om zo zorgeloos en wakker te zijn. En schoon.

'Ik heb gehoord dat alle eerstejaars meisjes vorig jaar terugkwamen met een tatoeage,' zei de ene jongen. 'De meisjes die nog maagd waren hadden een M en de andere hadden een mondje laten zetten. Op hun linkerbil.' Hij wierp een blik op de billen van het meisje, die verscholen gingen onder een miniplooirokje.

Het meisje stak een lepel in haar yoghurt en likte er suggestief aan terwijl ze verder schoof in de wachtrij. 'Ik dacht dat er na de Legacy niemand meer maagd was,' zei ze.

Onmiddellijk spitste ik mijn oren. De Legacy? Hadden Dash en de andere jongens het daar gisteravond niet over gehad? Mijn herinneringen aan de vorige avond waren nogal vaag, maar ik wist nog wel dat ze hadden gezegd dat Thomas dat voor geen goud zou willen missen. Dat hij daar hoe dan ook zou zijn. Hoe kon het dat die eerstejaars wel op de hoogte waren?

'Niet dat jij je daar zorgen over hoeft te maken, toch, Gwen?' zei de andere jongen. Hij likte zo ongeveer zijn lippen af.

Het meisje pakte haar dienblad en draaide zich naar de jongens toe. 'Wie zal het zeggen.'

Toen heupwiegde ze weg, terwijl de jongens haar nastaarden. 'Man, moet jij eens opletten wat ik op de Legacy met haar ga doen.'

'Ja, doe dat,' zei de ander nors.

'O! Dat is waar ook. Jij gaat natuurlijk niet, Mills!' zei de eerste jongen pesterig. 'Triest hoor. Misschien dat je kleinkinderen meer geluk hebben.'

Daarna slenterde hij luid lachend terug naar zijn tafel.

Ah, dus de Legacy was een exclusief feest, waar het meisje en Versierder 1 wel heen mochten, maar Versierder 2 niet. Die informatie moest ik zien op te slaan voor later, wanneer mijn hersens weer functioneerden.

Ik haalde diep adem en rook plotseling de geur van verf achter me, een fractie van een seconde voordat ik de warmte van een lichaam voelde. Toen ik me omdraaide stond Josh Hollis me glimlachend aan te kijken met zijn heldere ogen.

Onmiddellijk verstrakten de spieren in mijn schouder. Ik kon niet naar Josh kijken zonder aan Thomas te denken. Waar zou hij zijn? Hoe zou het met hem gaan? Had Josh misschien iets van hem gehoord?

'Zo, jij ziet er dweilig uit,' zei Josh.

'Dweilig?'

'Ik bedenk zelf woorden als er geen passende uitdrukking voor een bepaalde situatie lijkt te bestaan,' zei Josh. 'Dweilig, in dit geval.'

'Nou, ik voel me zeer vereerd dat ik je heb weten te inspireren tot een nieuw woord,' zei ik. Ik kon het hem niet kwalijk nemen. Mijn haar zat in een vettig paardenstaartje samengeplakt en mijn bleke huid had ongetwijfeld een prachtige groene weerschijn.

'Gaat het een beetje?' vroeg Josh terwijl we langs de balie schoven. 'Ik maakte me gisteren een beetje zorgen over je.'

Er doemde een vaag beeld van een grimmig kijkende Josh bij me op. Alweer iets wat ik tot dit moment vergeten was. Trouwens, waarom zou uitgerekend Josh zich zorgen over me maken? We kenden elkaar nauwelijks. Er flitste een hoopvolle gedachte door me heen.

'Heeft Thomas je gevraagd om een beetje op me te letten of zo?' vroeg ik.

Josh knipperde met zijn ogen. 'Nee. Thomas heeft helemaal niets gezegd voordat hij wegging.'

'O. Dus je hebt echt geen idee waar hij kan zijn?'

'Nee, jij dan?'

'Nee.'

Ik liep door, met pijn in mijn hart.

'Typisch Thomas,' mompelde Josh.

'Wat?'

'Niets. Alleen... je zou denken dat hij in elk geval aan jou zou laten weten waar hij was,' zei Josh met de nadruk op 'jou'. Dus hij wist dat Thomas en ik iets hadden? Of hij vermoedde het. Of misschien ook wel niet. Misschien wist hij alleen dat ik veel betekende voor Thomas. Ik dacht tenminste dat dat zo was.

Hoe kwam het toch dat onze relatie nog ingewikkelder was wanneer hij er niet was?

'Maar ik had het kunnen weten,' ging Josh door. 'Hij trekt zich nooit iets van anderen aan.'

Ik slikte moeilijk. Deze ochtend had ik al meer voor mijn kiezen gehad dan ik aankon. Een psychologische analyse van mijn verdwenen vriendje kon er echt niet meer bij. 'Kunnen we het over iets anders hebben?' vroeg ik.

Josh lachte verontschuldigend. 'Tuurlijk. Sorry. Hij zal je vast wel bellen. Op enig moment.'

Ik kreeg het er warm van en zocht koortsachtig naar een ander onderwerp.

'En wat ben jij allemaal van plan?' vroeg ik met een gebaar naar zijn dienblad. Er lag nog een hogere berg eten op dan op het mijne. 'Leg je een noodvoorraad aan voor de winter?'

'Neuh, de anderen hadden nog honger, dus...' zei hij schouderophalend.

'Ik begrijp iets niet,' zei ik.

Josh legde nog een chocoladecakeje op het dienblad. 'Wat dan niet?'

Ik wendde mijn blik af. Muffins kon ik er even niet bij hebben vanochtend.

'Waarom doe je altijd klusjes voor hen?' vroeg ik. 'Dat hoeft toch niet?'

Nee, híj niet.

'Ik heb vier jongere broertjes en zusjes en maar één oudere broer. En die was allergisch voor klusjes,' antwoordde Josh. Hij stopte zijn hand in de achterzak van zijn vormeloze spijkerbroek vol verfvlekken, terwijl hij het dienblad met zijn andere hand langs de balie duwde. 'Mijn hersens zijn geprogrammeerd om dingen voor anderen te doen.'

Ik pakte een bakje voor de cornflakes. 'Ah, vandaar.'

'En waarom doe jij het eigenlijk?'

'Dat moet van hen,' antwoordde ik automatisch.

Josh keek me ongelovig aan. 'Hè?'

Ik knipperde met mijn ogen. Wist hij dan niet dat ik als bediende mijn kost en inwoning in Billings House verdiende? Ik dacht dat iedereen hier wist dat ik de voetveeg was. Het was anderen in elk geval opgevallen dat ik van alles moest doen voordat ik in Billings kwam wonen. Vooral Dash had daar veel lol om gehad. Hoe kon het nou dat Josh niet op de hoogte was?

'Hè? Wat moet je allemaal van hen doen dan?' vroeg hij.

Alarmbellen. Knipperlichten. Roodwitte tape. Als hij het niet wist, betekende dat misschien dat hij het niet mócht weten?

Verdorie.

'O niets,' zei ik schouderophalend. Mijn hart klopte in mijn keel.

'Reed…'

'Ja, Josh…?'

Plotseling kwam er een begrijpende blik in zijn ogen. 'O, je mag het me niet vertellen,' spotte hij in een poging niet te serieus te klinken. 'Of je mág het wel vertellen, maar dan moet je me daarna vermoorden.'

Ik pakte de twee dienbladen met moeite van de balie. 'Maak je geen zorgen,' zei ik.

'Nou ja, je kunt altijd nog in hun koffie spugen als het te erg wordt,' zei hij.

Ik keek naar de dampende mokken. Het was een verleidelijke gedachte. 'Hm, toch maar niet,' zei ik.

'Nou, wees dan in elk geval maar… voorzichtig,' zei hij. 'Zorg maar dat ze je niets laten doen wat eh, nou ja…'

Raar is? Gevaarlijk? Stom? Had ik allemaal al gedaan.

'Nee hoor.' Ik hield stil omdat een van de mokken dreigde om te vallen.

Josh stak zijn handen uit naar het zwaarste dienblad. 'Ik help je wel even.'

'Bedankt, maar ik…'

Ik wierp een blik in de richting van onze tafel en meteen zakte de moed me in de schoenen. Daar, aan het eind van de tafel, boven iedereen uittorenend, zat Walt Whittaker. In mijn hoofd brak een machinegeweergevecht los.

Zijn handen op mijn borst. Zijn warme bruine ogen. Een zakdoek. Dikke armen. Ruwe lippen. Een tong… En, o nee… Mijn maag kneep samen.

O, mijn hemel. Had ik me door hem laten betasten?

'Hé, pas op!' zei Josh.

Hij greep het dienblad een fractie van een seconde voordat het uit mijn handen gleed. Een van de donuts viel en belandde met de glazuurkant op de grond.

'Ik moet weg,' zei ik. Ik zette het andere blad met een klap op de dichtstbijzijnde tafel en was in een oogwenk verdwenen, om voor de tweede keer die ochtend mijn al lege maag om te keren.

6

Een paar seconden voordat de deuren dichtgingen, kwam ik aan bij de ochtenddienst. Overal in de kapel zaten mensen zachtjes maar nadrukkelijk te praten en hier en daar ving ik Thomas' naam op. Tientallen ogen volgden me toen ik door het middenpad liep en zodra ik voorbij was, begon het gefluister weer. Blijkbaar was Thomas' verdwijning het onderwerp van de dag en omdat hij er zelf niet was om aangestaard te worden, mocht ik die rol op me nemen. Het vriendinnetje. De verlatene. Zij die in de gaten gehouden moest worden.

Plotseling was ik blij dat ik het ontbijt vanwege mijn misselijkheid had overgeslagen. Als ik in de kantine was gebleven, had ik waarschijnlijk een menigte achter me aan gekregen. Hier kon niemand me benaderen en had ik even de tijd om tot mezelf te komen.

Met gebogen hoofd glipte ik een van de tweedejaarsbanken in, waar nog een klein plekje was naast mijn minst favoriete persoon op Easton: Missy Thurber. Ik had een poosje bij de schoolverpleegster gezeten, waar ik wat appelsap had gedronken, en nu voelde ik me iets beter. Maar Missy begon nadrukkelijk te snuiven. Ze boog zich naar me over, snoof opnieuw en kreunde.

'Bah! Waar heb jij vannacht geslapen?' vroeg ze met dichtgeknepen neus. 'In het schuurtje van de tuinman?'

Blozend keek ik toe hoe ze opstond, zich langs mijn voormalige kamergenote Constance Talbot wrong en haar zo dwong naast mij te gaan zitten.

'Hoi,' fluisterde Constance onzeker. Sinds ik haar twee dagen geleden had achtergelaten om mijn intrek in Billings te nemen, had ik haar nauwelijks meer gezien. Haar rode krulhaar zat in twee lange vlechten. Met haar sproeten en haar ronde gezicht zag ze er altijd al jong uit voor haar leeftijd, maar nu leek ze wel twaalf. 'Hoe gaat het?' vroeg ze.

'Goed.'

Behalve dan dat mijn vriendje zonder toestemming afwezig is, ik dronken getongd heb met iemand die ik niet ken, een kater heb als een olifant en op het punt sta van de honger om te komen.

'Iedereen heeft het over Thomas. Heb jij iets van hem gehoord?' vroeg ze. Ze keek bezorgd, maar ook hoopvol dat ze misschien een nieuwtje uit de eerste hand zou horen.

'Nee. Maar hoe gaat het me jou dan?' zei ik in een poging van onderwerp te veranderen.

'Nou, ik heb nu een eenpersoonskamer,' zei ze met een droevige glimlach. Constance was een sociaal mens, niet iemand die het fijn vond om een eenpersoonskamer te hebben, dat wisten we allebei. Ik wilde iets zeggen om mijn vertrek minder erg te laten klinken, maar ik kon niets bedenken. Ik zou tenslotte niet terugkomen. Hoeveel klusjes ik ook zou moeten opknappen voor de Billings Girls, wonen in een van de exclusiefste studentenhuizen was nog altijd een stuk beter dan wonen in Bradwell. Alle meisjes in Billings hadden een perfect leven: ze waren populair en succesvol, ze haalden louter hoge cijfers en zouden later grootse dingen presteren. En ik hoorde voortaan bij hen. Als ze me tenminste niet eerst tot stervens toe zouden afbeulen.

'Gaat het wel met je?' vroeg Constance weer met een onderzoekende blik.

'Ja hoor, prima. Ik ben alleen een beetje moe.'

Op dat moment schraapte rector Marcus zijn keel in de microfoon, zodat ik ontkwam aan verdere vragen.

Hij pakte de katheder met zijn knokige handen vast. 'Goedemorgen, jongelui. Ik sla vanochtend de beleefdheden maar over, want er is iets serieus aan de hand. Waarschijnlijk hebben jullie inmiddels allemaal gehoord dat een van ons, Thomas Pearson, van de campus verdwenen is.'

Mijn lege maag kneep samen. Uit de zaal steeg gemompel

op toen dit interessante gerucht eindelijk officieel bevestigd werd.

'Slim om even te wachten tot alle ouders weg zijn, voordat ze met dit berichtje voor de dag komen,' zei iemand achter me.

De rector hief zijn hand. 'Stilte graag!'

Het werd onmiddellijk stil.

'We nemen dit niet licht op,' ging hij door. 'En omdat niemand ons iets heeft kunnen vertellen over de verblijfplaats van de heer Pearson, heb ik het hoofd van de plaatselijke politie, inspecteur Sheridan, gevraagd om jullie toe te spreken. Graag jullie onverdeelde aandacht.'

Hij wendde zich tot een grijze heer in een streng ogend, blauw uniform die achter hem zat: 'Inspecteur Sheridan, het woord is aan u.'

Overal in de kapel kraakten de banken toen iedereen zich uitrekte om een glimp van de politiechef op te vangen. Met brede schouders en een vierkante kaaklijn torende hij boven de rector uit toen hij bij de microfoon kwam staan. Zelfs van waar ik zat, kon ik zijn grote adamsappel op en neer zien gaan toen hij begon te spreken.

'Dank u, rector Marcus,' zei hij op ernstige toon. Hij keek ons aan met staalblauwe ogen en ik registreerde zijn ongenoegen terwijl hij ons toesprak. Ik vroeg me af of het hem ergerde dat de school onder zijn gezag viel; of de verdwijning van Thomas een probleem was waar hij liever niets mee te maken had. Of dat hij het juist spannend vond. Ik vermoedde dat er weinig gebeurde in dit slaperige, chique stadje. Misschien was hij blij eindelijk eens iets om handen te hebben.

'Tot mijn spijt brengt een ernstige zaak mij hier,' begon hij. 'Dit is een grote school. Sommigen van jullie kennen Thomas Pearson waarschijnlijk, maar anderen niet.'

Ik voelde een warme hand over de mijne glijden en zag dat de vingers van Constance zich troostend om de mijne sloten. Mijn eerste impuls was om mijn hand weg te trekken, maar ik deed het niet. Ze probeerde me te helpen en dat wilde ik haar niet ook nog afnemen.

'Toch zullen we jullie deze week allemaal ondervragen,' zei Sheridan.

Deze mededeling veroorzaakte een nieuwe golf van gefluister. De zaal klonk bijna enthousiast. Wat mankeerde iedereen? Begrepen ze niet wat dat betekende? De politie dacht dat er iets met Thomas gebeurd was. Ze dachten dat iemand van hier er iets mee te maken had. Hoe kon dat nou tot enthousiasme leiden?

'Dus schrik niet als we je uit je klas komen halen,' ging de corpschef door. 'Het betekent niet dat we je als verdachte beschouwen. Het enige wat we op dit moment willen, is jullie medeleerling vinden en hem weer veilig bij zijn ouders afleveren.'

Zodat die hem veilig kunnen opbergen op een tuchtschool, waarschijnlijk.

'Jullie hoeven niet bang te zijn voor strafmaatregelen,' voegde hij eraan toe, 'We zijn bijzonder blij als iemand ook maar enig licht kan werpen op deze zaak.'

Toen hij dit zei viel zijn blik op mij en ik gleed wat verder onderuit in de bank. Waarom keek hij uitgerekend naar mij?

Doe normaal. Hij kijkt helemaal niet naar mij. Hij kijkt gewoon de zaal in.

'Ik dank jullie bij voorbaat voor jullie medewerking.'

De corpschef verliet de katheder en leunde voorover om iets tegen de rector te fluisteren. Meer had de zaal niet nodig om uit te barsten in een enorm lawaai.

'Denk je dat hij 'm gesmeerd is?'

'Misschien is hij wel ontvoerd.'

'Ik weet zeker dat die engerd van een Marco weet waar hij is. Zou de politie al met hem gesproken hebben?'

'Waarom zouden ze? Niemand van de schoolleiding weet toch dat Thomas dealde, laat staan bij wie hij het spul haalde. Wat een amateurs.'

Marco? Wie was die Marco nou weer?

Ik trok mijn hoofd tussen mijn schouders en probeerde de stemmen buiten te sluiten. En ik probeerde nog harder om te ontkomen aan wat hun woorden betekenden: dat deze willekeurige meisjes meer wisten over Thomas dan ik. Waarom had ik anders nog nooit van Marco gehoord? Ik, de liefde van zijn leven! Wie was die vent en waarom vormde hij een bedreiging?

'Kom op, zeg. Ik denk dat hij gewoon wat slecht spul heeft gescoord en nu ergens in zijn eigen kots ligt.'

Nu was het genoeg. Plotseling stormden alle morbide gedachten die ik de afgelopen twee dagen op een afstand had proberen te houden op volle kracht mijn toch al gevoelige hoofd in. Het vonkje hoop dat alles goed was met Thomas was nu zo goed als gedoofd. Ik kreeg geen adem meer en in paniek leunde ik voorover met mijn voorhoofd tegen de koele achterkant van de bank voor me. De zure smaak in mijn mond werd erger.

Ademhalen. Rustig blijven ademhalen.

Ik voelde hoe iedereen naar me keek, met nieuwsgierige, gefascineerde blikken.

Constance legde haar hand op mijn rug. 'Gaat het wel, Reed? Zal ik je even naar de verpleegkundige brengen?'

'Breng haar eerst maar even naar de douche,' stelde Missy hulpvaardig voor.

Adem in, adem uit, adem in, adem uit.

Ontvoerd. Slecht spul. Kots.

Waar was Thomas, verdomme? Waar was hij verdomme naartoe?

7

Toen ik na de ochtenddienst de kapel verliet, volgde opgewonden gefluister me van mijn zitplaats tot aan de uitgang. Ik
kruiste mijn armen over mijn maag en hield ze daar alsof ik zo
de emoties die me overvielen – de zenuwen, de angst en het
gevoel door iedereen bekeken te worden – in bedwang kon
houden. Thomas werd vermist. Thomas werd vermist en de
politie keek ons aan of we stuk voor stuk verdachten waren. En
alsof dat nog niet erg genoeg was, staarde de hele school me
nu ook nog na.

Waarom kwam hij niet gewoon terug? Als Thomas maar
vijf seconden zijn gezicht kon laten zien op de campus, was
dit allemaal in één klap voorbij. Was het maar allemaal voorbij.

Toen ik bij de uitgang kwam, stapten Ariana en Taylor tevoorschijn uit het portaal van de kapel. Wat een opluchting om
bekende gezichten te zien, ook al waren dat dan de gezichten
van degenen die me die ochtend uit bed hadden gesleurd en
een schort hadden aangetrokken. Mijn armen ontspanden zich
enigszins.

Toen fluisterde Taylor gehaast iets tegen Ariana, wierp me
een haast schichtige blik toe, en haastte zich vervolgens met
gebogen hoofd het middenplein over. Ik vroeg me af of ze
zich soms schuldig voelde over wat zij en haar vriendinnen
me die ochtend hadden aangedaan. Ze had immers altijd van
nét iets meer geweten blijk gegeven dan de andere Billings
Girls.

'Ik had gehoord dat het uit was…'

'Ja, maar ze hadden het net weer bijgelegd. Uitgerekend
op de dag dat hij verdwenen is…'

Ik wierp een geïrriteerde blik over mijn schouder naar
twee tweedejaars meisjes die ik herkende van de lessen. Ze
werden rood en haastten zich weg. Gelukkig kwam Ariana

naast me lopen, dat voelde als een schild tegen het geroddel.

'Gaat het?' vroeg ze.

'Ja hoor,' antwoordde ik met gespeelde nonchalance. Ik had het gevoel dat Ariana zo'n blijk van kracht wel zou waarderen. 'Wat is er met Taylor?'

'O, die voelt zich niet zo goed.'

'Een kater zeker?'

Ariana zuchtte. 'Onder andere, ja. Ze krijgt elk najaar een keelontsteking en blijft dan de hele winter in de lappenmand tot het eindelijk weer voorjaar is. Ze zit de helft van de tijd in de ziekenboeg te leren. Wen er maar aan.' Ze staarde Taylor na en voegde er haast droevig aan toe: 'Zwak gestel. Zonde.'

Ik staarde naar de grond. 'Aha.' In de ziekenboeg liggen leek me op dit moment zeer aanlokkelijk. Misschien moest ik Taylor vragen om in mijn gezicht te hoesten.

'En jij?' vroeg Ariana.

'Gaat wel,' loog ik. In werkelijkheid brandde ik van verlangen om wraak te nemen. In werkelijkheid barstte ik van frustratie en verwarring. Waarom belde Thomas me niet gewoon even? Of naar Josh? Of iemand anders? Waarom deed hij ons dit aan? Omdat de geruchten klopten? Was hem werkelijk iets verschrikkelijks overkomen? Er liep een rilling langs mijn rug. Ik bewoog mijn schouders om het gevoel te verdrijven. Ariana hield alles wat ik deed nauwlettend in de gaten alsof elk gebaar een sleutel tot mijn ziel kon zijn.

'En? Wat ga je tegen hen zeggen?' vroeg Ariana. Ze wierp me een doordringende blik toe.

'Tegen wie?'

'Tegen de politie,' fluisterde Ariana.

Mijn hart kneep samen en ik stopte. 'Wat bedoel je?'

Ariana draaide zich naar me toe en kwam zo dichtbij staan dat ik alle poriën op haar neus had kunnen tellen, als ze die gehad had. Maar haar huid was perfect egaal, als van porselein.

Porselein. Wc's. Gal. Niet aan denken.

'Je bent toch de vriendin van Thomas? Reken maar dat

ze jou een hele hoop vragen gaan stellen,' zei Ariana. 'Je kunt maar beter van tevoren bedenken wat je gaat zeggen.'

Mijn mond werd droog en even voelde het alsof ik buiten mijn lichaam trad. Bedoelde ze met die woorden wat ik dacht dat ze bedoelde? Een koel briesje tilde haar witblonde haar op en bewoog haar sjaal. Achter haar riep een jongen iets tegen een ander. Ariana bewoog niet, vertrok geen spier, knipperde niet met haar ogen.

'Ik weet niet waar Thomas is, Ariana…' zei ik ten slotte.

Ariana keek me onderzoekend aan. Zo onderzoekend dat ik het er warm van kreeg. Zo onderzoekend dat ik me begon af te vragen of ik misschien toch iets te verbergen had.

Net op het moment dat die gedachte door mijn hoofd schoot, glimlachte Ariana.

'Oké.'

'Wat is oké?'

'Niets. Maar als je met iemand wilt praten voordat je on-dervraagd wordt, laat je het maar weten.'

'Bedankt,' zei ik.

Ariana stapte langzaam achteruit. 'Ik ga maar eens naar de les.'

Ze trok één schouder op en wierp me een veelzeggende blik toe voordat ze zich omdraaide en wegslenterde. Nu ik weer alleen was, viel het me op hoeveel blikken er op me ge-richt waren. Iedereen wendde zijn blik af als ik terugkeek, en als ik in de buurt kwam, viel het gesprek onmiddellijk stil. Zou het voortaan altijd zo gaan? Dat iedereen de hele tijd over me praatte en elke beweging in de gaten hield? Vanaf het moment dat ik op Easton aankwam, had ik geweten dat ik niet wilde opgaan in de massa, maar hier had ik nooit om gevraagd.

Ik keek op mijn horloge terwijl ik over het centrale plein liep. Nog tien minuten voordat de lessen begonnen. Ik wilde met iemand praten. Iemand die me zou kalmeren en die me kon vertellen waarom ik hier ook alweer was. Ik liet me vallen op de dichtstbijzijnde bank, haalde mijn mobiel tevoorschijn en belde mijn broer. Na vijf keer overgaan nam hij op.

'Hallo?'

'Scott? Met Reed. Heb ik je wakker gemaakt?'

'Nee hoor. Ik sta altijd uren van tevoren op als ik 's ochtends naar college moet,' antwoordde hij.

Ik grijnsde. Een groepje meisjes stond me iets verderop aan te staren en ik staarde terug tot ze zich ongemakkelijk gingen voelen en naar hun les gingen.

'Hoe is het op de universiteit?' vroeg ik.

'Prima. En hoe is het bij jou in de slangenkuil?'

'Leuke grap. Heerlijk toch dat ik de intelligentste in de familie ben.'

'Ik ben nog altijd de aantrekkelijkste,' zei Scott. 'Maar goed, wat is er aan de hand?'

'Moet er altijd iets aan de hand zijn dan?'

'In dit gezin wel, ja.'

Ik zuchtte. 'Het is hier nogal een toestand,' zei ik. 'Er is een…jongen hier die vermist is en nu loopt er overal politie rond. Ze gaan iedereen ondervragen.'

'Vermist? Is hij ontvoerd of zo?' vroeg Scott.

Ik slikte moeilijk. 'Ik weet het niet.'

'Kende jij hem?'

'Ja, een beetje.' Een beetje veel zelfs. 'Het is een vriend van me.'

'Zo! Dat is wel rot voor je. Maar hij duikt vast wel weer op,' zei hij. 'Waarschijnlijk verdwijnen er daar voortdurend mensen, die dan weer opduiken op een cruiseschip in een exotisch oord of zo.'

Ik lachte.

'Ja, dat doen de rijken der aarde nou eenmaal. Ik weet nog dat Felicia me ooit vertelde over een vent die de complete eindexamenklas uitnodigde in zijn landhuis op een tropisch eiland.'

O ja, Felicia. De oudere en coolere vriendin van mijn broer.

Hoe kon ik vergeten zijn dat Scott iemand kende die hier ook op school had gezeten. Het was aan haar te danken dat ik überhaupt overwogen had hierheen te gaan. Ze had hier vier jaar gezeten en was na haar examen naar de universiteit gegaan. Dus ze wist natuurlijk alles over deze school.

Ik ging er eens even voor zitten. 'Nu we het toch over Felicia hebben; heeft ze ooit iets tegen jou gezegd over de Legacy?'

'De Legacy? Nee. Dat zegt me niets. Wat is dat?'

'Een of ander feest, geloof ik. Ik weet het niet precies. Maar iedereen hier heeft het erover.'

'Waarom vraag je dan niet aan iemand hoe het zit?' vroeg Scott.

'Ik wil niet overkomen als een loser,' zei ik. Het was een opluchting om dat vrijuit te zeggen. En een opluchting om met iemand te praten tegen wie ik eerlijk kon zijn.

'Te laat,' grinnikte hij.

'Wat ben je toch een grapjas,' zei ik koeltjes.

'Ja. Maar goed, ik ga ophangen. Todd heeft last van me,' zei hij. Ik stelde me voor hoe de kamergenoot van mijn broer grommend een kussen over zijn hoofd trok. 'Maar nog één ding: moet je papa niet weer eens bellen?'

Ik voelde me direct schuldig, want ik had al dagen niets van me laten horen.

'Hoezo? Zodat ik me weer lekker schuldig kan voelen?'

'Hoor eens, ik volg colleges psychologie. Het schijnt dat wij ons de rest van ons leven schuldig gaan voelen. Wen er dus maar vast aan.'

Ik zuchtte. 'Oké dan. Ik bel hem wel.'

'Hij mist je. Mam ook trouwens, op haar eigen, zieke manier dan.'

Plotseling wilde ik niets liever dan ophangen, maar het kwaad was al geschied: mijn broer had me er luid en duidelijk aan herinnerd waarom ik hier eigenlijk was – en voor wie ik op de vlucht was.

Ik stond op. 'Ja, zal wel. Ga maar weer slapen. Ik spreek je nog wel.'

'Tot horens.'

Toen hing hij op.

Ik zuchtte en ging op weg naar de les, het gefluister om me heen negerend. Daar kon ik ook maar beter aan wennen. Ik kon maar beter aan van alles wennen.

8

'Wat doe jij dit jaar aan naar de Legacy?'

Ik kwam net uit de campusboekhandel waar ik wat pennen had gekocht maar bij die woorden bleef ik staan. Het leek wel of er op de hele campus over niets anders gepraat werd. Misschien zou het toch niet zo moeilijk blijken er op eigen kracht achter te komen wat de Legacy was.

'Ik weet het nog niet. Mijn zwarte jurk van Vera Wang misschien.'

Op een bank een paar meter verderop zaten twee blondines die ik kende van Bradwell – glanzend haar, slank, mobieltjes vastgegroeid aan hun oor. Zelfs tijdens het gesprek waren ze nog in de weer met hun telefoons; de een hield hem tegen haar oor, met het mondstuk weggedraaid van haar gezicht, de ander zat te sms'en op haar superkleine apparaatje. Ik boog door mijn knieën en deed of mijn veter los zat.

'Maar die had je vorig jaar toch ook al naar de bruiloft van je moeder aan?' vroeg het blonde meisje het iets minder blonde meisje.

'Ja? Dus?'

'Nou, dan sta je er dus mee op de foto!' zei Blondie. 'Je kunt niet naar de Legacy in een jurk waarmee je al op een foto staat. Dat doe je gewoon niet.'

De iets minder blonde knikte bedachtzaam. 'Je hebt helemaal gelijk. Stom van me.'

De blik van Blondie viel op mij. 'Eh, sorry, maar vind je het interessant of zo?'

Ik stond op. 'Het spijt me. Ik vroeg me af wat de Legacy is.'

De meisjes wisselden een ongelovige blik. 'Iets waar jij nooit zult komen,' zei Minder Blond. Ze typte iets in op haar telefoon. 'Al zit je dan in Billings.'

Blondie gaf Minder Blond een por met haar elleboog. 'O, Dana, dat zég je toch niet!'

Ik werd rood. 'Wat bedoel je daar in hemelsnaam mee?'

'Dat je niet hoeft te doen of je beter bent dan wij, alleen maar omdat ze je op Billings hebben toegelaten. We weten allemaal waar jij vandaan komt, beursmeisje.'

'Hoewel het natuurlijk kan gebeuren dat iemand je uit medelijden meeneemt naar de Legacy. Je vriendje kan dat nu niet meer doen, tenslotte.'

Ik probeerde de brok in mijn keel weg te slikken. Zou het vreselijk verboden zijn om deze meisjes in elkaar te slaan? Ik had nog nooit gevochten, maar ze hadden geen slechter moment kunnen kiezen om me zo te behandelen dan nu ik emotioneel zo volledig van de kaart was. Heel even speelde mijn verwarde geest met de gedachte om me op Minder Blond te storten. Ik kon me precies voorstellen hoe haar verbaasde gilletje zou klinken en hoe haar mobiel door de lucht zou vliegen en krakend zou neerkomen op het stenen pad. Het beeld beviel me wel.

Ik ging rechtop staan, niet helemaal wetend wat ik zou gaan doen. De meisjes keken naar me op. Ik zag dat Blondie iets nog vuilers wilde gaan zeggen, maar op dat moment werden beide meisjes bleek. Had ik plotseling hoorntjes gekregen of zo?

'Ik moet ervandoor,' zei Blondie.

Pas toen ze allebei waren opgestaan en ijlings waren weggelopen, merkte ik dat er iemand achter me stond. Ik draaide me om en was op de een of andere manier niet verbaasd dat Noelle net op dat moment achter me stilhield.

Ze trok een wenkbrauw op. 'Ach. Heb ik je vriendinnetjes weggejaagd?'

'Ja, blijkbaar. Bedankt.'

'Graag gedaan,' antwoordde ze. 'Die meiden moeten hun plaats weten.'

'Hoe bedoel je dat?' vroeg ik. Ik voelde mijn hart nog steeds bonzen.

Noelle sloeg een arm om mijn schouder. 'Dat zij je niet

dwars hoeven te zitten. Dat is namelijk mijn taak.'

Het lukte me een lachje te laten horen.

'En? Hou je het een beetje vol?' vroeg Noelle. 'Waarschijnlijk heb je het helemaal gehad met dat gedoe rond Pearson.'

Mijn hart kneep samen, zoals altijd wanneer Thomas ter sprake kwam.

'Maak jij je dan geen zorgen om hem?' vroeg ik.

Noelle liet me los en keek me recht aan. Zoals gewoonlijk wist ik niet wat er in haar omging. 'Reed, Thomas Pearson komt altijd op zijn pootjes terecht.'

'Als jij het zegt, zal het wel zo zijn,' antwoordde ik.

'Je moet je niets aantrekken van wat al die onbetekenende idioten hier zeggen,' zei ze dwingend. 'Neem een voorbeeld aan Dash en Gage. Die kennen Thomas al hun hele leven en zij maken zich toch ook geen zorgen? En waarom niet? Omdat ze hem kennen. Omdat ze weten dat hij zich ergens helemaal kapot zit te lachen om ons.'

Ik glimlachte droevig bij dat idee. 'Denk je?'

'Ik weet het zeker,' antwoordde Noelle. Ze gaf me een arm.

'Hou nou maar op met je zorgen te maken. Vroeg of laat duikt hij weer op en blijkt het allemaal één grote grap te zijn. En dan vraag je je af waarom je hiervan hebt wakker gelegen.'

Ik haalde diep adem en liet haar woorden tot me doordringen. Er was niets aan de hand met Thomas. Al zijn vrienden – de mensen die hem het best kenden – dachten dat er niets aan de hand was. Ze gingen er zelfs van uit dat hij zou opduiken bij dat Legacy-gedoe om flink te feesten. Waarom zou ik dat in twijfel trekken?

'Nou, ben je klaar voor wat keiharde voetbaltraining?' vroeg Noelle. 'Ik beloof dat ik je vandaag niet onderuit zal halen. Hoewel. Nee, dat beloof ik niet.'

Ik lachte en samen liepen we naar Billings om ons te verkleden. Keiharde voetbaltraining. Dat was misschien wel precies wat ik nodig had.

'Waar hadden jullie het trouwens over zonet?' vroeg Noelle. 'Het zag er ernstig uit.'

Heel even overwoog ik haar te vragen naar de Legacy. Maar zo diep was ik nog niet gezonken. Ik wilde Noelle er niet aan herinneren dat ik geen idee had hoe het hier allemaal werkte. Ik moest maar gewoon zorgen dat ik er zelf achter kwam.

'O, de nieuwe Vera Wang-collectie,' zei ik opgewekt. We liepen het pad naar Billings in.

Noelle lachte hartelijk. 'Dat vind ik nou zo leuk aan jou, Reed,' zei ze bijna zusterlijk. 'Ik lach me af en toe dood om jou.'

9

'Ik kan deze trui niet meer zíén!' London Simmons trok een roomwitte kasjmieren trui over haar hoofd en smeet hem in haar zilverkleurige prullenbak. Haar donkerbruine krullen vielen in perfecte golven over haar blote rug.

'London toch, je kunt toch geen kasjmier weggooien,' antwoordde haar kamergenote Paris Clark.

London en Paris, door de meisjes van Billings ook wel De Twee Steden genoemd, waren twee rijke, rondborstige meisjes met veel haar, die al hun hele leven bevriend waren. Zodra ik na het eten was thuisgekomen, hadden ze me bij zich ontboden omdat ze hulp nodig hadden bij het 'feng shuien' van hun kamer. In werkelijkheid betekende dat dat ik hun schoenen moest sorteren op kleur en hakhoogte. En dat was precies wat ik op dat moment op de grond aan het doen was.

'Geef hem dan aan een goed doel of zo,' stelde Paris voor.

London, die haar D-cup stond te bewonderen in de spiegel, draaide zich om en keek naar mij.

'O, sorry.' Ze viste de trui weer uit de prullenbak. 'Wilde jij hem hebben?'

Haar bruine ogen stonden volkomen onschuldig. Ze realiseerde zich geen moment hoe beledigend haar aanbod was.

'Nee, dank je,' zei ik koeltjes.

Paris rolde met haar ogen. 'Niet aan háár! Aan de armen!' Ze pakte haar nagelvijl en liep naar London toe. 'Let maar niet op haar, Gluurder,' zei ze tegen mij. Ze pakte de trui uit Londons hand.

'Ze wordt dommer naarmate ze dunner wordt.'

Ik lachte zuur.

London haalde uit naar Paris. 'O, wat een gemene opmerking!'

Ze gingen weer op hun bed zitten om zich verder op te

tutten en ik rukte nog een paar rode schoenen achter uit de kast om de hakhoogte te vergelijken met die van alle andere rode schoenen. Ik was bijna klaar. En dan kon ik eindelijk, eindelijk naar mijn kamer gaan om te douchen.

'Ik zag Walt Whittaker vandaag op de campus,' merkte London op.

Meteen ging mijn nekhaar rechtop staan. Ik was erin geslaagd om Whit de hele dag te ontwijken. Elke keer als hij me zag, had hij zich blozend afgewend. Blijkbaar vond hij de situatie net zo gênant als ik. Tijdens de pauzes had hij voornamelijk bij de docenten aan tafel zitten kletsen, iets wat ik nog nooit een leerling had zien doen. Buiten de kantine was ik hem niet tegengekomen. Waren De Twee Steden op de hoogte van wat er tussen ons gebeurd was?

'Die wordt van mij, Par.'

Mooi niet.

Paris lachte honend. 'Kom op zeg. De komende weken zit elk meisje hier op school achter Whittaker aan.'

O? Hoezo?

'O, dus jij denkt dat ik hem niet kan krijgen?' vroeg London ongelovig.

'Je hebt net zo veel kans als alle anderen,' antwoordde Paris. 'Maar je weet nooit wat er omgaat in dat dikke hoofd van hem. Persoonlijk denk ik dat hij homo is.'

Ik onderdrukte een lach en zette het laatste paar rode schoenen op zijn plek. Als hij homo was, verklaarde dat in elk geval waarom hij zo onhandig met borsten was.

'Dat maakt niet uit, zolang ik hem maar kan gebruiken,' zei London.

Ze lachten allebei. Ik stond op en sloeg mijn handen af aan mijn schort. Ik wilde dolgraag weten waar London hem voor wilde gebruiken – geld? Dat zou me verbazen; iedereen hier had meer geld dan hij kon opmaken. Hoe dan ook, ze zouden het me toch niet vertellen. Bovendien won mijn verlangen om hier weg te zijn het van mijn nieuwsgierigheid.

'Klaar,' zei ik.

'Je kunt gaan,' zei London neerbuigend.

Ik wierp haar een vernietigende blik toe die ze niet eens opmerkte, draaide me om en liep weg. Ik wist niet hoe snel ik door de schemerige gang naar mijn kamer moest vliegen, langs de zwart-witfoto's van Easton 'in de loop der eeuwen'. Er was een tijd geweest dat ik de schoonheid van Billings had weten te waarderen; het glanzende houtwerk, de dikke vloerbedekking, de bronzen kandelaars en de vensters aan begin en eind van elke gang. Maar nu zag ik alleen maar meer spullen die gepoetst, geboend en in de was gezet moesten worden. Nu wilde ik alleen nog maar terug naar mijn kamer, weg van alle klussen. Ik had mijn hand op de deurknop toen ik iemand in de gang achter me hoorde.

'Juffrouw Brennan.'

Ik stopte en sloot mijn ogen. Net niet gelukt.

Mevrouw Lattimer, de huismoeder-op-leeftijd van Billings House, naderde met onhandige pas, belemmerd als ze werd door haar nauwe kokerrok. Haar donkere haar zat strak naar achteren gekamd in een knotje en haar witte blouse was zoals altijd tot bovenaan dichtgeknoopt. Een parelkettinkje maakte het geheel af. Alles aan mevrouw Lattimer was dun en puntig. Haar huid was leerachtig en niemand had haar ooit gezien zonder een dikke laag eyeliner en mascara rond haar waterige ogen, waarmee ze de aandacht hoopte af te leiden van de grote moedervlek op haar kin. Ik had haar ontmoet op mijn eerste avond op Billings en toen had ze me van top tot teen opgenomen alsof ze niet kon begrijpen dat er iemand als ik kon bestaan. Sindsdien had ik haar ontlopen.

'Juffrouw Brennan, ik heb begrepen dat u vanochtend alle bedden hebt opgemaakt,' zei ze met haar benige handen voor haar buik gevouwen.

Hè? Wist ze dat dan?

Mevrouw Lattimer stak haar kin naar voren. 'Maar helaas hebt u daarbij het mijne over het hoofd gezien. Ik zou het op prijs stellen als u aan mij dezelfde dienst wilt bewijzen als aan de andere dames van dit huis.'

Dit moest een grap zijn. Dus ze was niet alleen op de hoogte van dit dubieuze ritueel, ze zag het ook nog door de vingers. Sterker nog: ze deed er actief aan mee.

'Ben ik duidelijk genoeg?' vroeg ze.

'Eh, jazeker,' antwoordde ik.

'Uitstekend,' knikte ze. Even bleven we zwijgend tegenover elkaar staan. 'Nou, dan kunt u nu verdergaan met uw bezigheden.' Ze wuifde me weg met haar hand.

'Juist.'

Ik duwde de deur open, ging naar binnen, sloot de deur achter me en leunde ertegenaan. Zat er maar een slot op. Een grendel. Een of ander alarm dat me waarschuwde voor naderende prinsesjes. Ongelooflijk dat de huismoeder hieraan meedeed. Alsof ik nog niet genoeg aan mijn hoofd had.

Ik haalde diep adem en liet me op de grond zakken, niet in staat nog een spier te bewegen. Ik was kapot. De hele dag had ik gewacht op het moment dat de deur van het lokaal zou opengaan en ik verzocht zou worden naar Hel Hal te gaan om met de politie te praten. Ik had me geen moment kunnen concentreren en had minstens tien multomapblaadjes in stukjes gescheurd, maar er was niets gebeurd. De dag was zonder enige onderbreking voorbijgegaan. Het gerucht ging dat de politie was begonnen met de eindexamenklassen en pas later in de week aan ons, nederige tweedejaars, zou toekomen.

Ik wilde het het liefst achter de rug hebben. Het was alsof er pure cafeïne in plaats van bloed door mijn aderen stroomde. Waarom kwamen ze mij niet halen? Was de drugspolitie er dan nog niet achter dat Thomas een vriendin had?

Ik stond op, liet me op het bed vallen en wierp een lege blik op mijn nieuwe kamer. Mijn nieuwe kamer. In alle chaos was ik er nog niet eens aan toegekomen om blij te zijn met al die ruimte. Deze kamer was minstens drie keer zo groot als mijn oude kamer in Bradwell en had hoge gotische ramen die uitkeken op het centrale plein. Mijn bureau was enorm, ik had een prikbord en een studielamp en naast de toilettafel met twee kastjes leek het bescheiden bed een kabouterbedje. De kastjes waren maar halfvol. Foto's, sieradenkistjes en prullaria ontbraken volledig. Dat was wel anders bij de anderen hier in huis, daar was de boel dan ook een stuk lastiger schoon te houden.

Kortom, mijn helft van de kamer was belachelijk kaal vergeleken met die van Natasha, die uitpuilde van precies goed opgehangen posters, perfect geordende boeken en papieren en een opbergkast van doorzichtig plastic waarin al haar ongelooflijk dure sieraden keurig hun eigen vakje hadden. Maar het was wel mijn kamer. Mijn eigen kamer in Billings. Ik woonde in Billings. En wat voor klusjes ze ook voor me zouden bedenken, het was het allemaal waard.

Dacht ik.

Na een poosje kwam ik overeind en sjokte naar mijn bureau. Sommige van mijn boeken zaten nog in een krat op de grond, waar de Billings Girls ze in hadden gestopt toen ze me hierheen verhuisd hadden. Ik kon ze maar beter opruimen zolang ik nog een heel klein beetje energie over had. Ik pakte de geschiedenisboeken die ik de eerste dag op school als extra materiaal had meegekregen en zette ze op de plank boven het bureau. Een viel er tussenuit en belandde met een doffe klap op de grond. Hoewel ik nog probeerde de andere vast te houden, glipten ze uit mijn handen en kwamen op mijn voet terecht.

Ik liet me op mijn knieën vallen. 'Verdorie!'

Ik ging met mijn rug tegen het bed zitten en zuchtte toen er een paar botten knakten en een paar spieren ontspanden. Heerlijk om even te zitten. Misschien moest het uitpakken maar een andere keer gebeuren.

Met zo min mogelijk inspanning trok ik een stapeltje boeken naar me toe en legde ze op mijn schoot, waarbij ik een klein opgevouwen, wit papier ontdekte dat op de houten vloer lag. Hé, waar kwam dat vandaan?

Ik pakte het op en draaide het om. Nooit eerder gezien. Was het uit een van mijn boeken gevallen? Die waren allemaal in de eerste schoolweek uit de bibliotheek gehaald. Misschien was het een oude liefdesbrief die iemand erin had laten zitten. Nieuwsgierig vouwde ik het papier open. Mijn blik ging als eerste naar de naam onderaan. De brief was geprint, maar de handtekening was met pen toegevoegd.

Door Thomas.

'Wat?' zei ik hardop.

Onmiddellijk begon het bloed in mijn oren te bonzen. In mijn oren, mijn vingertoppen, zelfs in mijn ogen. Ik trok mijn knieën op tot mijn borst, waarbij de boeken op de grond vielen, en las met trillende handen de brief.

Lieve Reed,

Ik ga vanavond weg. Ik weet niet wat ik anders moet. Een vriend van me weet ergens een alternatieve behandeling waarvoor je geen toestemming van je ouders nodig hebt. Ik zeg niet waar, want ik wil niet dat jij of iemand anders me probeert te vinden. Ik wil beter worden en ik denk niet dat dat lukt als ik contact houd met de mensen in mijn huidige leven.
Wees alsjeblieft niet boos, het is voor jou beter zo. Je bent te goed voor mij. Ik ben je niet waard, dat weet jij ook. Ik hou van je, echt. Maar je verdient een beter iemand. Veel beter.
Ik heb gewoon wat tijd nodig. Wat tijd voor mezelf, weg van mijn ouders en van alle chaos. Dat begrijp je wel, dat weet ik zeker. Jij kent me beter dan wie ook.
Ik hou veel van je, Reed, en ik zal je missen, meer dan je ooit zult weten.

Liefs,
Thomas

Een enorme opluchting golfde door me heen, met zo'n kracht en snelheid dat de tranen me in de ogen sprongen. Ik veegde ze weg en las de brief opnieuw. En nog een keer. Thomas was in orde. Het ging goed met hem. Hij lag niet ergens in een plas braaksel, hij was ergens waar hij hulp kreeg. Hij was ergens aan het afkicken. Hij maakte het feitelijk beter dan ooit.

Ik slaakte een lange, beverige zucht en las de brief nog één keer. Plotseling werd de opluchting verpest door een andere emotie. De spieren in mijn nek verstrakten. Thomas maakte het uit. In een briefje. Na mijn belofte om hem op elke mogelijke manier te helpen, was hij verdwenen zonder ook maar gedag te zeggen. Hij had alleen maar een afscheidsbriefje in mijn spullen verstopt. Wie deed er nou zoiets?

Erger nog: hoe kon hij nou een briefje achterlaten in een willekeurig boek in de veronderstelling dat ik het daar wel zou vinden? Ik had het boek wel kunnen terugbrengen naar de bibliotheek zonder het briefje ooit te vinden. Dan was er nooit een einde gekomen aan mijn bezorgdheid. Hij had ook even kunnen bellen. In een telefoongesprekje van vijf seconden had hij me hetzelfde kunnen zeggen. Realiseerde hij zich wat ik vanwege hem had moeten doormaken?

Ik maakte een prop van de brief en smeet hem door de kamer. 'Rotzak.' Zomaar besluiten dat ik te goed voor hem was. Wie dacht hij wel dat hij was? Had ik daar niets over te zeggen? Nee, meneer was verdwenen en had ons allemaal in angst achtergelaten. Die jongen had hulp nodig. Echte, professionele hulp.

Nou, dat kreeg hij dan nu in elk geval.

Twee seconden later stond ik alweer op om de prop van de grond op te rapen. Stel je voor dat Natasha hem zou vinden. Ik streek het papier glad op mijn bureau en las de brief nog een keer.

Toen kwam er een nieuwe, nog kwellender gedachte bij me op.

De politie. Moest ik de politie vertellen over de brief?

Moest ik hem aan hen laten lezen? Het was duidelijk dat Thomas dat niet wilde. Hij zei nou juist dat hij weg wilde van alle chaos en van zijn ouders. Als ik dat aan de politie vertelde, zouden ze achter hem aangaan en zou hij nooit de tijd hebben om beter te worden. Maar als ik de brief niet liet zien, zou ik liegen. Dan hield ik bewijsmateriaal achter en kon ik ernstig in de problemen komen.

Kon ik maar even met hem praten. Hem zien, hem vasthouden. Op hem inpraten. Misschien zou ik hem zover kunnen krijgen dat hij de verantwoordelijkheid zou nemen voor wat hij had aangericht. Realiseerde hij zich niet hoeveel ellende hij had veroorzaakt? Was hij zo bang voor zijn ouders dat hij dacht dat dit de enige manier was?

Ik stelde me voor hoe hij ergens eenzaam, bleek en bevend van zijn verslaving probeerde af te kicken. Hoe hij probeerde beter te worden. Mijn hart schoot zo vol dat ik bang was dat het zou barsten. Ja, ik was boos op hem, maar ik miste hem ook. En ik maakte me zorgen. Ik wilde dat ik tegen hem kon zeggen dat alles goed zou komen.

En daarna, ja daarna zou ik hem misschien een klap voor zijn hoofd verkopen omdat hij me dit allemaal aandeed. Haat en liefde liggen verbazingwekkend dicht bij elkaar.

'Puinzooi,' zei ik. Ik kon er nu niet langer over nadenken. Ik was te moe, te labiel, te emotioneel en te veel geneigd tot geweld. Ik vouwde de brief op, stopte hem weg achter in de la van mijn bureau en schoof die met een klap dicht.

Goed. Diep ademhalen nu. Ik wist nu in elk geval dat Thomas niet in gevaar was. Ik wist dat hij nog ergens was. En als hij ook maar een greintje gevoel had, zou hij me uiteindelijk wel bellen. Zo'n briefje was niet voldoende. We moesten praten. Heel erg praten.

10

Na een lange douche en even lang nadenken voelde ik me enorm veel beter. De brief van Thomas had weliswaar allerlei nieuwe problemen opgeworpen, maar ik kon nu ook een aantal zaken van me af schudden waar ik me ernstig zorgen over had gemaakt. Ten eerste bleek hij het al een aantal dagen geleden te hebben uitgemaakt, en dat betekende feitelijk dat ik hem niet bedrogen had met Whittaker. Van die gedachte knapte ik enorm op.

Ten tweede was hij nu voor onbepaalde tijd van school, dus ik hoefde me geen zorgen te maken over manieren om hem en de Billings Girls bij elkaar vandaan te houden. Daar hoefde ik me trouwens sowieso geen zorgen over te maken, omdat hij het had uitgemaakt.

Ja. Ik zou dit allemaal heel praktisch aanpakken. Rationele Reed, dat zou voortaan mijn bijnaam zijn.

Dat was deel een van mijn plan. Deel twee was meer te weten komen over die Legacy en zorgen dat ik daar terecht-kwam, zodat ik Thomas kon zien, hem stijf schelden en hem dan een kans geven om alles uit te leggen. Een klein kansje. Dash had tenslotte gezegd dat Thomas daar hoe dan ook zou zijn. Dat er geen Legacy denkbaar was zonder Thomas. Als dat waar was, zou hij zich niet laten weerhouden door een alter-natief behandelingetje.

Natuurlijk, Thomas had bepaald geen goede invloed op me, daar had hij wel gelijk in. Na die eerste week van totale verrukking had Thomas feitelijk alleen maar voor verwarring, pijn en gêne gezorgd. Die verrukking was natuurlijk wel fan-tastisch geweest. Zo fantastisch dat ik mijn maagdelijkheid aan hem had verloren. En dat kon ik niet zomaar uit mijn hoofd zetten. Hij kon niet zomaar met me naar bed gaan en dan verdwijnen met achterlating van niets dan een briefje. Wat wij samen hadden beleefd betekende veel voor me en dat moest Thomas weten. Hij moest weten dat ik hem niet zomaar zou vergeten. Dat ik hem nóóit zou vergeten, zelfs als we nooit meer iets zouden krijgen. Ik gaf om hem. Punt.

Ik trok mijn kamerjas aan en begon toen hardhandig mijn haar te drogen met een handdoek, alsof ik probeerde ook de verwarring weg te wrijven. Doordat ik met voorovergebogen hoofd uit de stomende badkamer kwam, zag ik Natasha niet staan tot ik tegen haar opbotste.

Ik sprong van schrik achteruit. 'O, sorry!' Ik sloeg mijn hand voor mijn hart en lachte. 'Ik schrok me dood.'

Natasha lachte niet. Ze maakte geen beweging. Haar blik zei maar één ding: problemen.

'Wat is er?' vroeg ik nerveus. Had ze de brief gevonden? Dat zou toch niet waar zijn?

'We moeten praten,' zei ze ernstig.

'Oké.' Ik probeerde haar te laten ontspannen door zelf te glimlachen, maar dat was tot mislukken gedoemd.

Ze liep naar haar laptop, klapte hem open en schoof een stoel voor me achteruit. 'Zitten.'

Ik keek haar verbaasd aan, maar deed wat me gezegd werd. 'Wat gaan we doen?'

'Een kleine slideshow bekijken,' zei ze.

Ze leunde over me heen, waarbij ik blozend merkte dat haar borst mijn schouder raakte en klikte een venster op haar computer open. Aanvankelijk begreep ik niet wat ik op het scherm zag. Het was een foto van iets wat op een tong leek. Een grote close-up van een tong die uitgestoken leek te zijn naar de camera. Toen verscheen plotseling het hele beeld. Mijn hart schoot in mijn keel.

Dat was mijn tong. De mijne. Dat was ik. Mijn ogen waren halfdicht en ik lachte.

Ik wierp een blik over mijn schouder naar Natasha. 'Wanneer heb je deze genomen?'

'Alleen kijken,' antwoordde ze.

En dat deed ik. Op de volgende foto stond ik met een bierblikje aan mijn lippen. Op de volgende met een hand op Whittakers borst. Whittaker en ik terwijl we de open plek verlieten, ik met mijn armen om Whittaker heen en mijn mond halfopen, in mijn hand een fles drank. Whittaker met zijn mond op de mijne, terwijl ik zijn gezicht met twee handen vasthield. Whittakers hand op mijn borst.

Terwijl ik naar mijn eigen gezicht keek, werd ik overweldigd door angst en schaamte. Ik had mijn hoofd achterover gebogen en zag eruit alsof ik kreunde van genot, terwijl ik in feite op het punt stond om te gaan overgeven. Ik zag eruit als een slet. Als een dronken hoer die een man het bos in had gelokt.

'Waarom laat je me dit zien?' vroeg ik terwijl de slideshow opnieuw begon. Ik draaide mijn hoofd weg, weg van haar, van het scherm en weg van de waarheid.

'Omdat ik wil dat je weet hoe serieus het voorstel is dat ik je nu ga doen,' zei Natasha. Ze greep de rugleuning van de stoel en draaide me om zodat ik haar moest aankijken. Met haar handen op de armleuningen boog ze zich naar me toe en keek me strak aan. 'Je weet wel wat deze foto's betekenen, hè? Je realiseert je toch wel dat ik je in een ommezien van school kan laten verwijderen als ik daar zin in heb?'

Er prikten tranen in mijn ooghoeken. Ze had natuurlijk gelijk. Ze had het bewijs in handen van een aantal grove overtredingen van schoolregels. Erger nog, het leek alsof Whittaker en ik alleen waren. Er waren die avond bijna tien mensen in het bos geweest, maar geen van de anderen stond op de foto's.

'Waarom doe je dit?'

Hoe kon ik zo dom zijn geweest haar te geloven toen ze had gezegd dat ze vrienden wilde zijn? Hoe kwam ik zo goedgelovig?

Natasha ging rechtop staan. 'Omdat je iets voor me moet doen.'

'Wat dan?' Ik was toch haar bediende al, waarom dan nog al dit gedoe?

'Noelle Lang en haar vriendinnen zijn verantwoordelijk voor het vertrek van Leanne,' zei Natasha. 'Ze hebben haar erin geluisd.'

Ik was niet verbaasd over haar beschuldiging. Op de dag dat Leanne Shore, de kamergenote van Natasha, onder begeleiding het schoolterrein had moeten verlaten op beschuldiging van fraude, had Natasha Noelle er al van beschuldigd er iets mee te maken te hebben. Ik was erbij geweest, op het centrale plein, toen ze dat recht in haar gezicht gezegd had. Maar toen had ik gedacht dat Natasha gestoord was.

'Hoe weet je dat...?' vroeg ik.

'Ik weet het gewoon,' zei Natasha. 'Het probleem is alleen dat ik geen bewijs heb. En daarom heb ik jou nodig.'

O nee. O, laat het niet waar zijn. Ze zou me toch niet...

'Nu je ons nieuwe kamermeisje bent, kun je overal in- en uitlopen,' zei Natasha. 'Ik wil dat je het bewijs zoekt dat ik nodig heb. Je moet al hun spullen doorzoeken. Er moet iets te vinden zijn. Ze zijn dol op trofeeën. Zorg dat je iets vindt waarmee ik hen aan de schandpaal kan nagelen.'

Ik staarde naar het gezicht boven me, mijn haar in ijzige slierten in mijn nek.

'Dat... dat kan ik niet doen,' zei ik.

Ik zou alles kwijtraken. Ze zouden erachter komen en me van Billings trappen. Ze zouden nooit meer met me praten. Alles waar ik zo hard voor gewerkt had zou ik in een oogwenk kwijt zijn.

En Noelle zou me vermoorden. Ook dat nog.

'Ja hoor, dat kun je wel,' zei Natasha met een grijns. 'Tenzij je graag wilt dat ik dit naar de rector, het bestuur en iedere leerling en docent hier op school mail.'

Ik wierp een blik op het scherm. Whittakers tong in mijn keel. Het was misselijkmakend. Opnieuw prikten de tranen in mijn ogen. Deze beelden betekenden het einde voor me. Het einde van mijn leven, van mijn toekomst. Realiseerde ze zich dat wel?

'Ik dacht dat we vrienden waren,' zei ik toonloos. Misschien kon ik op haar schuldgevoel spelen. Ik greep me vast aan de laatste strohalm.

'Ach, wat vertederend,' zong Natasha. 'Dus we begrijpen elkaar?'

Ik staarde haar strak aan. In haar ogen was geen spoor van spijt of onzekerheid te zien. Dit klopte van geen kanten. Natasha werd beschouwd als het morele ijkpunt van Easton. Althans, zo had Noelle haar genoemd en Natasha had trots geleken op die titel. En moest je haar nu eens zien: ze maakte softpornofoto's van mensen die ze haar vrienden noemde en chanteerde hen er vervolgens mee. Een fijn moreel voorbeeld.

Natuurlijk was ze ook nog de voorzitter van de Jonge Republikeinen. En afgaande op wat ik al mijn hele leven hoorde, was dit een streek waar iedere politicus trots op zou zijn.

'Reed, ik vroeg je iets.'

Mijn handen trilden. Ik kon dit niet doen. Niet na alles wat Noelle voor me gedaan had. Niet met alles wat er op het spel stond.

Maar Natasha kon me nog erger schaden. Het bewijs had ik hier voor me.

In deze situatie was ik hoe dan ook de verliezer.

'Ja, we begrijpen elkaar,' zei ik.

Natasha sloot tot mijn opluchting de slideshow af. 'Mooi zo. En nu naar bed. Je hebt morgen nog een hoop te doen.'

11

De volgende ochtend werkte ik een voor een mijn klusjes af,
terwijl ik in mijn hoofd met tien miljoen andere dingen bezig
was. Om de een of andere reden was iedereen al vroeg weg,
zodat ik de bedden kon opmaken zonder last te hebben van
hatelijk commentaar of gedetailleerde aanwijzingen. In de
kamer van Noelle en Ariana bleef Natasha's stem rondzingen
in mijn hoofd, als een dolgedraaide cd.

Aan de schandpaal nagelen... aan de schandpaal nagelen...
aan de schandpaal nagelen...

Ik staarde naar Noelles kast, die me haast uitnodigde
om de laden te doorzoeken. Er was niemand te bekennen en
het zou in een paar minuten gebeurd zijn. Als Natasha haar
dreigementen meende, kon ik rekenen op een enkeltje Croton,
Pennsylvania. Terug naar mijn aan medicijnen verslaafde moeder en mijn depressieve vader. Het zou het einde betekenen
van alles waar ik ooit van gedroomd had.

En inderdaad, als ik het bewijs vond dat ze wilde hebben,
zouden niet alleen Noelle en de anderen me haten, maar dan
zouden zij ook van school getrapt worden. Dan waren zij weg,
en zat ik nog steeds hier, in Billings. Ook zonder hen zou ik
wel een kans maken, toch? Zij mochten dan de meest invloed-
rijke Billings Girls zijn, maar ik had dan nog steeds Billings
achter me staan. Dat betekende ook wel iets? Toch? Dus wat
had ik eigenlijk te verliezen?

Ik nam een stap in de richting van de kast, maar werd
meteen bevangen door een misselijkmakende angst. Ik kon het
niet. Ik kon niet snuffelen in privéspullen. Ik kon Natasha niet
helpen om Noelle en Ariana – de enigen die zich om me hadden bekommerd sinds de verdwijning van Thomas – te verraden. Ze lieten me weliswaar klusjes doen, maar het waren ook
mijn vriendinnen. Een soort vriendinnen. Trouwens, dit dééd

je gewoon niet. Ik zei tegen mezelf dat ik nu geen tijd had, dat ik het een andere keer wel zou doen en ging ik door met mijn werk.

Na het douchen deed ik mijn nog natte haar in een paardenstaart, griste mijn boeken mee en haastte me naar buiten. Op dat moment hoorde ik de geluiden van een feestje.

'Ooooo, moet je die tassen zien! Goddelijk!'

'Maak die grote eens open! Die grote ja!'

Er plopte een champagnefles open en een paar meisjes slaakten gilletjes. Wat was er beneden aan de hand? Het klonk als een slechte aflevering van The Bachelor. Halverwege de trap bleef ik staan. De hele hal was gevuld met witte heliumballonnen. De Billings Girls stonden rond een berg chique ingepakte cadeaus die in hun midden op de grond lag. Alle uitgepakte dozen waren her en der neergesmeten. Overal lag gescheurd inpakpapier en aan de trapleuning en de muren was inpaklint opgehangen. Kiran hing net een zijden sjaal om haar hals en sloeg een glas champagne achterover. Om halfacht 's ochtends.

Ik daalde de trap verder af. 'Wat is hier aan de hand?'

'Ah, Gluurder! Jou moest ik net hebben!' tjilpte Kiran. Ze pakte een klein doosje en overhandigde het me met enig vertoon. 'Voor jou!'

Het was een iPod. Een met blauwgroene glittersteentjes versierde iPod limited edition.

'Hè? Hoezo?'

Iedereen lachte.

'Kiran is jarig!' meldde Taylor. Haar wangen hadden voor het eerst sinds dagen weer wat kleur. Iedereen juichte en schreeuwde.

Ik glimlachte naar Kiran. 'O ja? Gefeliciteerd!'

'En als Kiran jarig is, krijgen wíj allemaal cadeautjes,' zei Paris terwijl ze een slokje champagne nam.

'Hoezo dan?' vroeg ik.

Kiran rolde met haar ogen. 'Het is elk jaar hetzelfde. De cadeaus van ontwerpers, fotografen, tijdschriftuitgevers en stylisten stromen binnen. Zo veel troep dat het niet eens in mijn kamer past.'

'En heel vaak krijgt ze dingen dubbel,' zei Noelle, die een Louis Vuitton-portemonnee betastte.

'Dus ik geef het maar allemaal weg,' zei Kiran lachend en met een verontschuldigend gebaar. 'Nou ja, het meeste dan. Ik denk dat ik de tassen maar houd.'

'Hè!' pruilde Rose. Het was duidelijk dat zij de set van vijf reistassen wilde hebben; sinds ik hier was had ze haar ogen er niet van af kunnen houden.

Kiran wees naar me met haar champagneglas. 'Dus dat is voor jou,' zei ze.

'O, dus zelfs Assepoester krijgt een cadeautje?' zei ik.

Kiran en Noelle keken elkaar aan en lachten. 'Ja, zelfs Assepoester,' zei Noelle.

Dus zo zat dat. Niemand anders wilde dit hebben, dus daarom kreeg ik het maar. Toch hoorde je mij niet klagen. Ik vond het al heel wat dat ze aan me gedacht hadden.

'Kom eens hier!' zei Kiran. Ze sloeg haar arm om mijn schouders en trok me mee naar de berg cadeaus. 'Er zijn vast nog meer leuke dingen die nog niet verdeeld zijn. Iedereen achteruit, Gluurder mag iets uitkiezen.'

Er werd gemopperd, maar de meisjes weken uiteen en ik bekeek de designerlogo's, de blauwe doosjes met witte strik, de grote zwarte dozen met gouden linten. Dit waren de cadeaus van Kiran. Haar spullen. En ze deelde ze met iedereen. Ook met mij. Zomaar, zonder er iets voor terug te verwachten.

Taylor hield een zijdeachtige, rode jurk omhoog. 'Hier, deze kleur zal je spectaculair staan, Reed.'

'En neem dat suède jasje ook maar. Elke vrouw heeft suède nodig,' zei Ariana terwijl ze me een doos gaf.

'We zullen eens even een fashion victim van jou maken,' zei Kiran. Ze hield me een glas champagne voor.

'Jeetje, fantastisch, Kiran. Dank je wel,' zei ik.

Ze ging voor me staan en keek me recht aan: 'Waar heb je nou vriendinnen voor?'

Mijn maag trok samen van schuldgevoel en ik nam snel een slok champagne. Vriendinnen? Wat zou ze zeggen als ze wist dat ik een paar minuten geleden nog op het punt had gestaan in haar spullen te neuzen? En in die van Noelle, Ariana en Taylor? Zou ze me dan nog steeds een vriendin noemen? Vergeet het maar.

Ik probeerde de negatieve gedachten van me af te schudden. Ik had het toch niet gedaan? Ik had ze niet verraden. Nóg niet, tenminste. Maar toen ik rondkeek en hun enthousiaste, blije gezichten zag, realiseerde ik me voor het eerst wat ik op het spel zette, als ik deed wat Natasha van me vroeg. Dit namelijk. Als ik het deed, zouden al deze meisjes hier verdwijnen. Uit Billings House en uit mijn leven.

Dit was wat ik te verliezen had.

12

Die ochtend gingen de lessen in een waas voorbij. Als de
lerares kunstgeschiedenis me tijdens haar college iets had
gevraagd over het Franse impressionisme, had ik waarschijnlijk iets geantwoord als 'de verhouding van de hoogte tot de
hypotenusa'. Met andere woorden: ik had werkelijk geen idee
waar ik was.

Spioneren of niet spioneren, dat was de vraag. En als dat
niet de vraag was, dan was er altijd nog dat andere, te verwaar-
lozen kwestietje: wanneer kwam de politie me halen? En als ze
kwamen, moest ik dan iets zeggen over de brief van Thomas?

Ik had belangrijkere zaken aan mijn hoofd dan de vraag of
Claude Monet beschouwd kon worden als een revolutionair.

Toen het vierde lesuur eindelijk was afgelopen, was ik als
eerste de deur uit. Ik rende bijna de gang door, snakkend naar
zuurstof. Ik moest mijn hoofd weer helder zien te krijgen. Ik
moest ergens heen waar ik kon nadenken. Ik had geen idee
wat mijn docenten die ochtend allemaal hadden verteld. Als ik
niet snel een besluit nam, maakte Natasha's chantage ook niets
meer uit. Dan zou ik van school verwijderd worden vanwege
mijn cijfers, nog voordat zij de foto's kon versturen.

Ik duwde de buitendeur open, stapte de zon in en nam
een diepe teug van de frisse herfstlucht. Net wat ik nodig had.
Ik zou eens lekker op mijn gemak over de campus naar de
kantine wandelen. Nog een keer diep ademhalen en tot mezelf
komen. Eventjes wat tijd voor jezelf was precies wat een thera-
peut zou voorschrijven.

'Hallo, Reed.'

Onder aan de trap, tegen een pilaar geleund, stond Walt
Whittaker. De onsmakelijke slideshow van Natasha begon
onmiddellijk weer in mijn hoofd af te spelen. Lippen, handen,
tongen. Jakkes. Blijkbaar was hij eindelijk tot de slotsom ge-

komen dat hij iets tegen me moest zeggen. Hoe slecht kon je timing zijn?

'Hoi,' zei ik terwijl ik hem straal voorbijliep.

Zoals altijd stonden er een paar roddelende meisjes toe te kijken en ik hoopte dat hun aanwezigheid en mijn hint genoeg zouden zijn om hem op andere ideeën te brengen. Ik rilde toen ik langs hem liep. Ik wilde wat tussen ons gebeurd was het liefst zo snel mogelijk vergeten, maar in plaats daarvan stond het hele gedoe op mijn netvlies gebrand.

'Kunnen we misschien even praten?'

Met zijn lange benen had hij me in twee passen ingehaald.

Ik haalde diep adem en zuchtte hoorbaar. Vooruit dan maar. Hij kon er tenslotte ook niets aan doen. Hij was niet degene die me chanteerde. Voor zover ik wist, had hij geen idee van het bestaan van die foto's. En ik kon hem moeilijk blijven ontlopen. Even doorbijten, dacht ik, dan had ik in elk geval één ding minder om me zorgen over te maken. Ik stapte van het pad af, ging in de schaduw van een boom staan en probeerde niet te rillen als ik naar hem keek.

'Hoe is het met je?' vroeg Whittaker met een bezorgde blik.

'Goed hoor. En jij?'

'Met mij gaat het goed, dank je. Maar eh, over wat er gebeurd is tussen ons.' Mijn maag trok samen. 'Ik wil je graag mijn excuses aanbieden. Ik had enigszins te veel op, en jij waarschijnlijk ook.'

Hij keek me aan om te zien of ik hem daarin gelijk gaf.

'Enigszins.'

Dat was wel héél voorzichtig uitgedrukt.

Whit keek naar zijn instappers. 'Maar goed. Ik had geen misbruik van de situatie mogen maken. Het spijt me oprecht.'

Nou zeg. Een jongen van mijn leeftijd die zich gedroeg als een heer! De spieren in mijn schouder ontspanden zich een beetje. Het was duidelijk dat mijn eerste indruk van Whit, hoe beneveld ik toen ook was, juist was geweest. Hij was een oprecht aardige jongen. Ik kon het hem niet aanrekenen dat Natasha zo gemeen was.

'Het maakt niet uit,' zei ik.

'Jawel, ik had…'

'Nee, echt, Whittaker,' zei ik. 'Ik was er toch zelf bij? Ik wist waar ik mee bezig was.' Dat dacht ik op dat moment althans. Tot ik er gisteravond achterkwam hoe het er in werkelijkheid had uitgezien. 'Het is niet alleen jouw fout.'

Whittaker glimlachte dankbaar. 'Hoe dan ook. Je bent een dame. En je verdient het om als zodanig behandeld te worden.'

Een dame? Ik?

'Dank je,' zei ik met een poging tot een glimlach.

'Maar goed,' zei hij en hij lachte. 'Het vervelende gedeelte hebben we nu in elk geval gehad. Zullen we dan nu… vrienden worden?'

Vrienden? Ja. Dank je wel. Dank je wel. Dank je wel.

'Goed plan,' zei ik.

'Goed, dan zijn we hierbij dus vrienden,' zei Whittaker. Toen pakte hij mijn hand en kuste die.

O? Dat had geen van mijn vrienden ooit gedaan, maar vooruit.

'Ik heb nu een afspraak met de rector, maar zullen we afspreken bij het avondeten?' vroeg hij met vragend opgetrokken wenkbrauwen.

'Da's goed,' antwoordde ik.

Toen hij zich omdraaide en wegslenterde, vroeg ik me af of hij het meende, van dat vrienden worden, maar ik besloot er niet lang over na te denken. Ik had al veel te veel aan mijn hoofd. Voorlopig zou ik hem maar op zijn woord geloven. Hij was tenslotte een heer. En ik zou hem aan zijn woord houden, mocht dat later nodig blijken.

13

Hoe meer mensen de politie ondervroeg, hoe meer de geruchten op Easton een eigen leven gingen leiden. De verwijdering van Leanne was al opzienbarend geweest, laat staan de verdwijning van Thomas. Overal waar ik kwam vroegen mensen aan andere mensen wat zij ervan wisten en wat ze hadden gehoord en tegelijkertijd scheen niemand ook maar iets te weten. Heel frustrerend allemaal. En hoe langer we allemaal in het duister tastten, hoe hoger de spanning opliep. Ik had het gevoel dat al die paniekerige energie wel moest leiden tot een enorme ontlading.

'En heb jij al iets gehoord?' vroeg Constance, die tijdens wiskunde, het laatste lesuur, naast me aan tafel schoof.

'Nee, jij?'

'Ik heb gehoord dat ze Dash McCafferty meer dan een uur hebben vastgehouden,' zei Constance ademloos. 'En het schijnt dat Taylor Bell in tranen naar buiten kwam.'

'Wat? Taylor in tranen?' zei ik. 'Waarom zou zij nou moeten huilen?'

'Wie zal het zeggen,' antwoordde Constance. 'Misschien is ze in het geheim verliefd op Thomas of zo.'

Taylor? Uitgesloten. Of toch niet? Ik had haar er nooit op kunnen betrappen dat ze Thomas een blik waardig gunde en dat was op zich al een prestatie. Het was waarschijnlijker dat ze lichtelijk overspannen was door de hele situatie. Of iemand had het gewoon verzonnen, van die tranen.

Ik dacht aan de theorie van Noelle. Zou Thomas zich inderdaad ergens zitten gek te lachen om het drama dat hij veroorzaakte? Was dat de werkelijke reden waarom hij tegen niemand had gezegd waar hij heen ging? Voor de tienmiljoenste keer wenste ik dat ik hem kon spreken. Dat ik hem kon vragen waar hij in hemelsnaam mee bezig dacht te zijn. En daar was een manier voor. Ik moest zorgen dat ik meer te weten kwam over die Legacy en een uitnodiging kreeg, dan had ik een kans om hem eindelijk, eindelijk te zien.

'Hé, mag ik jou iets vragen? Weet jij iets van een of ander feest dat de Legacy heet?' vroeg ik.

Constance haalde minachtend haar neus op en zakte onderuit in haar stoel.

'Ja, daar heeft iedereen het over.'

'O ja? En wat is het dan?'

'Een of ander enorm feest in de stad of zoiets,' zei Constance. 'Er wordt heel geheimzinnig over gedaan. Tegen mensen als wij, tenminste.'

Ik knipperde met mijn ogen. 'Mensen als wij?' Constance en ik waren allebei tweedejaars, maar daar hield de overeenkomst wel mee op.

'Nobodies,' zei Constance. 'Er worden alleen mensen uitgenodigd die uit een lange traditie van privéscholen komen. Geen mensen als wij dus.'

Nu was het mijn beurt om onderuit te zakken in mijn stoel. Dus dat bedoelden die meisjes toen ze zeiden dat ik daar nooit zou binnenkomen. 'O, zit dat zo?'

'Ja, erg hè?' zei Constance. 'Het klinkt als iets geweldigs. Missy Thurber zei dat vorig jaar alle jongens terugkwamen met een platina Rolex en alle meisjes met een diamanten limited edition ketting van Harry Winston. Ik zou een moord doen voor wat dan ook van Harry Winston. Ik mag van mijn moeder pas echt mooie sieraden hebben als ik achttien ben. Ze denkt dat ik ze anders toch maar kwijtraak.'

'Verdorie,' zei ik. Mijn hoop op een weerzien met Thomas was direct de grond in geslagen.

'Maar jij zit in Billings. Misschien mag jij dan sowieso wel.'

'Hoezo?' vroeg ik.

'Nou, Billings Girls krijgen alles wat ze willen,' zei Constance alsof dat vanzelfsprekend was. 'Waarschijnlijk krijg jij automatisch een uitnodiging of zo.'

Daar dacht ik even over na. Geen slechte theorie. Het was algemeen bekend op Easton dat de Billings Girls nooit ergens werden buitengesloten tenzij ze daar zelf voor kozen. Misschien zou dit mijn eerste kans zijn om automatisch ergens binnen te komen. En Thomas te zien. O, als dat eens lukte!

Constance greep plotseling mijn arm. 'Oooo, daar is hij!'

Mijn hart hield op te slaan en ik keek uit het raam.

'Thomas?'

'Nee, Walt Whittaker,' fluisterde Constance. Ze schoof haar tafel dichter naar de mijne toe. 'Ik had al gehoord dat hij terug is van zijn reis.'

Ik zakte weer in elkaar. Valse hoop. Ik draaide me om en inderdaad, daar stond niemand minder dan Whit zelve een praatje te maken met de wiskundedocent. De Twee Steden, London en Paris, hingen in de buurt rond met hun boeken tegen hun borst gedrukt, wachtend tot hij klaar was met zijn gesprek. Blijkbaar had London de aanval op Whit geopend, wat ze dan ook van plan mocht zijn.

'Ken je hem?' vroeg ik.

'Of ik hem ken? Onze ouders zijn al honderd jaar bevriend,' zei Constance die nog steeds mijn arm vasthield. 'Het idee om me hier in te schrijven is zelfs van zijn ouders afkomstig. O, moet je zien, hij is zó'n lekker ding.'

In mijn hoofd ging een alarmbel af en ik ging rechtop zitten. 'Wat?'

'Jeetje, volgens mij is hij afgevallen,' zei Constance met stralende ogen. 'Hij gaat vast naar de sportschool.'

Afgevallen? Walt? O? Hoeveel had hij dan eerst gewogen? Honderdvijftig kilo?

'Wacht eens, bedoel je… dat je hem leuk vindt?' vroeg ik.

Constance wendde met tegenzin haar ogen af van Whit. Ze zag eruit als een gelukzalige fan op de voorste rij van een popconcert.

'Ik ben al sinds mijn tiende verliefd op hem,' zei ze. 'Hij weet natuurlijk nauwelijks dat ik besta, maar ik…'

'En Clint dan?' vroeg ik. Ze had toch al een vriendje in New York?

Constance haalde haar schouders op. 'O, als Walt Whittaker ook maar énige vorm van aandacht aan me schonk, maakte ik het direct uit met Clint.' Ze knipte met haar vingers.

Ik liet me weer onderuitzakken. 'Goh, dat wist ik niet.'

Ik kon me niet voorstellen dat een jongen als Whit zo veel passie in iemand kon losmaken. Zo bleek maar weer dat er op elk potje een dekseltje paste. En toevallig was Constances dekseltje juist degene die een paar dagen terug met zijn tong in mijn mond had gezeten.

'Nee, dat weet niemand. Ik hou het lekker voor me,' zei Constance. Toen schrok ze. 'Aan niemand vertellen, hè!'

'Maak je geen zorgen.'

Dan vertel ik jou ook niets over een bepaalde geheime ontmoeting in het bos met een bepaald persoon.

Net wat ik nodig had, nog meer geheimen van nog meer mensen. Binnenkort kon ik ze niet meer uit elkaar houden.

14

Weer ging er een nacht voorbij. En toen nog een. Geen woord van Thomas. De dagen waren gevuld met huishoudelijke karweitjes, lessen en het ontlopen van Natasha, wat nog niet meeviel gezien het feit dat we een kamer deelden. Ik had Noelles kamer nog niet doorzocht, en ook die van de anderen niet. Ik had nog geen la opengetrokken. Hoe langer Natasha erover zweeg, hoe meer ik hoopte dat ze de hele zaak zou vergeten.

Hoezo dromen?

Toch eisten al het werk, de zorgen en het gedoe om haar te ontlopen hun tol. Ik sliep slecht, kreeg nauwelijks iets door mijn keel en zat nog steeds te wachten tot de politie me zou ondervragen. Tegen het eind van de week was ik een schaduw van mezelf geworden.

Tijdens de lunchpauze op vrijdag zette ik mijn overladen dienblad op de Billings-tafel en deelde het eten uit dat ik had moeten halen. Toen liet ik me vallen op een van de twee lege stoelen en pakte met een zucht mijn wiskundeboek. Die middag had ik een toets, maar ik kon me niet eens meer herinneren over welk hoofdstuk die zou gaan.

Ik bladerde lusteloos door het boek en bekeek mijn ruwe, geïrriteerde vingertoppen die rood waren van alle schoonmaakmiddelen en rauw van te vaak wassen. Mijn knokkels waren gebarsten en overal op mijn handen zaten kleine wondjes en sneetjes. Ik werd al een echte arbeider.

Net toen ik een hoofdstuk had uitgekozen om door te lezen – of liever gezegd, een zin die ik een paar keer zou overlezen zonder dat er ook maar iets tot me zou doordringen – viel er een schaduw op mijn boek. Pas toen iemand zijn keel schraapte, keek ik op.

Daar torende Whit boven me uit, met zijn handen achter zijn rug en een ondeugende glimlach op zijn gezicht. Hij droeg een groene trui met een ruitjespatroon waar ik duizelig van werd.

'Hoi Reed,' zei hij duidelijk opgewonden.

'Hoi…'

Ik wierp een blik op de anderen aan tafel. Een paar van hen keken geïnteresseerd toe. Vooral London, die vlak achter Noelle aan de volgende tafel zat, was duidelijk geïntrigeerd. Ze hield zelfs op haar nagels te vijlen en draaide zich naar ons om.

'Is er iets?' vroeg ik.

'Ik heb iets voor je,' antwoordde Whit. 'Niets groots, maak je geen zorgen. Maar ik zag deze liggen en toen eh… moest ik aan jou denken.'

Slik!

'Deze?' vroeg ik.

Whittaker haalde een glanzend grijs doosje met gouden letters vanachter zijn rug tevoorschijn. Ik staarde ernaar.

Wat er ook inzat, ik had het gevoel dat het niet zou passen bij 'gewoon vrienden zijn'. Dit zat niet goed.

Ik wierp een blik om me heen. De aandacht van mensen aan aangrenzende tafels was nu ook getrokken. London staarde me met duidelijke afgunst aan en Paris was met stomheid geslagen. Ik zag hoe Constance zich juist aansloot bij de rij voor de balie. Blijkbaar had zij nog niets in de gaten.

'Maak maar open,' zei Whittaker.

Als ik nu moeilijk ging doen, zouden we alleen maar meer aandacht trekken. En de enige persoon die dit écht niet mocht zien, was nu aan het zicht onttrokken.

'Kom op, Reed, waar wacht je op?' zei Kiran. 'Het zijn sieraden, hoor.'

Josh werd bleek. 'Heb je sieraden voor haar gekocht?'

'Niets bijzonders,' zei Whittaker. 'Maak nou maar gewoon open, Reed.'

Ik glimlachte naar Whittaker, gegeneerd voor twee, en nam het doosje van hem aan. Snel klapte ik het deksel open en haalde het zwart fluwelen doosje dat erin zat tevoorschijn. Onhandig en met trillende handen probeerde ik het open te maken en ik schrok toen het plotseling met een klik opensprong. Bijna liet ik het hele ding uit mijn handen vallen, maar ik kon het nog net op tijd opvangen.

'Jemig,' flapte ik eruit.

Iedereen lachte. Op zwart satijn lagen twee grote, vierkante diamanten oorbellen. Duurder dan alles wat ik in mijn leven had bezeten of nog zou bezitten. Taylor en Kiran stonden allebei op hun tenen om in het doosje te kunnen kijken. London en Paris zaten allebei omgedraaid op hun knieën op hun stoel en duwde elkaar haast omver om iets te kunnen zien.

'Wat heeft dat te betekenen?' riep London, wat haar een waarschuwende tik van Paris opleverde. London liet zich mokkend zakken op haar stoel.

'Zo! Goede keus, Whit,' zei Kiran. 'Je hebt er wel oog voor.'

Whittaker straalde bij dat compliment. 'Ik was gisteren in het dorp uit eten met mijn oma. Toen ik ze in een etalage zag liggen, wist ik meteen dat ze voor jou waren,' zei hij. 'Vind je ze mooi?'

Diamanten oorbellen. Mijn eigen diamanten oorbellen. Alle meisjes aan tafel hadden zulke oorbellen. Als ze ze droegen, probeerde ik altijd niet te jaloers te kijken, en nu had ik ze zelf. Ik wist niet wat ik moest zeggen. Waarom, waarom in hemelsnaam, gaf hij ze aan mij?

'Ze... ze zijn prachtig,' zei ik. Daarna schrapte ik al mijn wilskracht bij elkaar en voegde eraan toe: 'Maar ik kan ze niet aannemen.'

'Tuurlijk wel,' zei Whittaker meteen.

'Het is een veel te groot cadeau,' zei ik.

'Reed, doe niet zo lomp,' siste Noelle vanuit haar mondhoek.

Ik keek naar de andere meisjes. Allemaal wierpen ze me dezelfde, waarschuwende blik toe. Dus zo werkte het in hun wereld? Het was lomp om deze oorbellen niet aan te nemen, ook al waren ze waarschijnlijk genoeg waard om mijn volledige opleiding te betalen? Het was lomp als ik hem dat geld zou teruggeven, zodat hij het niet vergooide aan iemand die zich waarschijnlijk nooit tot hem aangetrokken zou voelen? Het was dus lomp als ik weigerde spelletjes met hem te spelen?

Naar de dodelijke blikken te oordelen die ik van alle kanten kreeg toegeworpen blijkbaar wel.

Ik keek op naar Whit, die er hoopvol en blij uitzag. Het laatste wat ik wilde was hem in het openbaar vernederen. En trouwens, Constance kon nu elk moment opduiken uit de rij voor de balie. Dit mocht ze niet zien. Ze zou er kapot van zijn.

'Dank je wel, Whit. Heel erg… lief van je,' zei ik ten slotte. Ik deed het doosje dicht en stopte het terug in de buitenste doos.

'Het plezier is geheel aan mijn kant,' antwoordde hij met een tevreden grijns.

Toen wierp hij een blik over mijn schouder. 'O, daar is mevrouw Solerno. Die had ik nog niet gezien. Mijn oma vergeeft het me nooit als ik haar niet even gedag ga zeggen.'

Wie was die oma van hem? En hoe kon ik voorkomen dat ze hem mee de stad in nam om zijn geld te vergooien aan ongepaste cadeaus?

'Ik ben zo terug,' zei hij.

Toen kneep hij in mijn schouder en liep weg.

'Nou nou, die Whit vindt jou wel heel leuk,' zei Ariana zodra hij verdwenen was.

'Goede actie,' zei Dash als een trotse vader.

'Ben je alweer aan het rondkijken, Reed?' vroeg Josh.

Mijn wangen kleurden rood en er viel een stilte. Ook Josh bloosde alsof hij zich nu pas realiseerde hoe hard zijn woorden waren, en hij wendde zijn ogen af.

'Ten eerste zijn het jouw zaken niet met wie Reed omgaat, Hollis,' zei Noelle scherp. 'Ten tweede is jouw vriend 'm zonder een woord gesmeerd. Ze heeft het volste recht om om zich heen te kijken.'

Josh werd nu paars. 'Sorry, je hebt gelijk.' Hij propte zijn servet in elkaar en gooide hem op zijn bord. 'Ik moet ervandoor.'

Hij richtte zich op, wierp me een verontschuldigende blik toe en liep weg. Een volle minuut kon ik niet slikken. Iedereen keek me afwachtend aan.

'Sorry jongens,' zei ik eindelijk beverig. 'Het spijt me dat ik jullie droom moet verstoren, maar Whittaker en ik zijn gewoon vrienden.' Snel stopte ik de oorbellen onder in mijn tas.

'Ja hoor,' zei Gage. Hij likte aan zijn soeplepel. 'Ik koop ook altijd oorbellen van vijfduizend dollar voor al mijn vrienden.'

Ik wist niet wat ik hoorde. Vijfduizend dollar? Vijfduizend dollar?

'Kom op, nieuwe,' zei Dash liefjes. 'Geef die arme jongen een kans.' Hij propte wat druiven in zijn mond. 'Hij kan wel wat actie gebruiken.'

Noelle gaf hem een klap tegen zijn arm en alle jongens grinnikten.

'Goeie grap,' zei ik en ik probeerde me weer op mijn boek te concentreren. 'Ik moet jullie helaas teleurstellen, maar we zijn echt alleen maar vrienden. En het was zíjn idee om gewoon vrienden te zijn.'

'Hm hm,' mompelde Noelle. Ik kreeg rillingen van haar stem. 'Geloof je het zelf?'

15

'Reed.'

Ik liep door met mijn hoofd gebogen tegen de wind in. Ik hoorde haar niet. De wind woei te hard. Laat haar maar geloven dat ik haar niet kon horen.

'Reed! Reed, ik weet dat je me wel hoort.'

Ik stopte en draaide me naar Natasha om. Haar krullen dansten om haar hoofd, waardoor ze eruitzag als een uitzinnige heks.

'Ik heb echt wel door dat je me ontloopt,' zei ze. 'En dat heb ik toegestaan omdat ik je tijd wilde geven om je werk te doen. Dus vertel op, wat heb je gevonden?'

'Niets,' antwoordde ik.

Haar wenkbrauwen schoten omhoog. 'Niets?'

Ik zuchtte en keek naar mijn voeten. 'Ik heb nogal wat andere dingen aan mijn hoofd gehad, Natasha.' Ik probeerde geïrriteerd te klinken. Geïrriteerd en onaangedaan en niet bang. 'School, voetbal, vermist vriendje...'

Een beetje medelijden nu, kom op. Toon een beetje medelijden.

'Je had weinig last van dat vermiste vriendje toen je met Whittaker stond te tongen, hè?' zei ze. 'Thomas staat ook op mijn mailinglijst, hoor. Wil je dat hij bij terugkomst ziet wat voor iemand je werkelijk bent?'

Ik werd rood van woede. 'O? En wat voor iemand ben ik dan werkelijk?'

Natasha kwam een stap dichterbij. Haar ogen stonden geamuseerd. 'Een overspelige, dronken slet die niet meer op haar benen kan staan. Misschien is hij ook wel geïnteresseerd in die leuke dingetjes in je tas. Cadeautjes aannemen van een andere jongen, hè?' Ze klakte met haar tong. 'Wat ben je toch een trouwe, bezorgde vriendin.'

Ik kon haar wel slaan. En dat had ik misschien ook wel gedaan als er op dat moment niet verschillende docenten en politiemannen hadden rondgelopen op het plein.

'Je bent hen niets verschuldigd, Reed,' zei Natasha. 'Doe nou maar wat je moet doen. En anders doe ik wat ik moet doen.'

Ze draaide zich om en wandelde zorgeloos weg, alsof we een praatje over het weer hadden gemaakt. Toen ik me omkeerde stond ik oog in oog met Josh. Mijn hand vloog naar mijn hart. Nóg meer kon ik er niet bij hebben.

Hij hees zijn rugzak op. 'Sorry, ik wilde je niet laten schrikken.'

'Maakt niet uit,' zei ik, terwijl ik langs hem heen liep. Die opmerking van hem was me helemaal in het verkeerde keelgat geschoten.

'Reed, mag ik in elk geval mijn excuses aanbieden?' vroeg hij.

Ik hield stil en zuchtte. Toen keek ik hem vernietigend aan.

'Waar sloeg die opmerking op?' vroeg ik.

Met een bijna wanhopige blik deed hij een stap in mijn richting. 'Ik weet het niet. Sorry. Het kwam er zomaar uit.'

'Nou, Noelle had gelijk. Het gaat jou niet aan wat ik doe.'

'Kom op, Reed. Dat is niet waar.'

'Hoezo niet?'

'Daarom. Omdat ik hoopte dat we, nou ja… vrienden konden zijn.' Hij trok zijn schouders op. 'Je bent een van de weinige normale mensen hier op school en ik… ik mag je graag.'

Dat was zo'n eenvoudige, aardige opmerking dat mijn spanning in één keer wegebde. 'Echt waar?'

Josh glimlachte. Hij had een leuke, jongensachtige lach. 'Ja, echt.'

'Waarom zei je dat dan?' vroeg ik. 'Dat kwam behoorlijk hard aan.'

'Weet ik. Het spijt me. Ik ben soms nogal hard in mijn

oordelen. Een slechte trek van me,' zei hij. 'Ik zal eraan werken. Als jij me dan vergeeft.'

Ik moest erom grinniken. 'Oké dan. Ik aanvaard je excuses.'

'Echt waar? Bedankt. Het spijt me erg…'

Ik stak mijn hand omhoog. 'We hebben het er niet meer over, oké?'

Zijn adamsappel ging op en neer. 'Goed dan. Nou, dan ga ik maar eens naar de les.'

O ja. De les. Om de een of andere reden was dat toch redelijk belangrijke aspect van mijn aanwezigheid hier op Easton de laatste tijd nogal gezakt op mijn prioriteitenlijstje.

'Zie ik je nog?' vroeg hij.

'Reken maar.'

Daarna draaide ik me om en liep glimlachend naar het gebouw met de leslokalen. Het was ongelooflijk. Binnen twee seconden had Josh Hollis bijna elke gedachte aan Natasha's dreigementen verjaagd. Bijna.

16

De laatste paar minuten voor het begin van de wiskundeles
probeerde ik met zenuwachtig op en neer wippende voet nog
wat lesstof in mijn hoofd te proppen. Ik wierp Constance, die
naast me neerplofte, een mislukte glimlach toe.

'Ben je klaar voor de test?' vroeg ik.

'Ja, en ik heb ook een vraag.' Haar stem klonk onnatuurlijk
hoog. Ze vlocht haar vingers ineen en draaide zich naar me
toe. 'Waarom krijg jij cadeautjes van Walt Whittaker?'

Mijn maag kneep samen. Dit kon ik er even niet bij hebben.

Ik wreef over de plek tussen mijn ogen waar plotseling
een flinke hoofdpijn opkwam. 'O, heb je dat gezien?'

'Nee, maar Missy en Lorna wel,' antwoordde ze op gedempte toon. 'Hoe kún je? Gisteren heb ik nog mijn hart bij je
uitgestort en verteld wat ik voor hem voel. En al die tijd hadden jullie iets samen. Wat ben ik toch een sukkel.'

'Constance, zo zit het helemaal niet. We hebben helemaal
niets samen. Er is niets tussen ons.'

'Ja hoor,' zei ze. 'Ik vraag me af wat Thomas zou zeggen als
hij dit hoorde.'

Mijn keel voelde rauw en droog aan toen ik slikte. Ze wisten hier wel allemaal waar je zwakke plek zat.

Ik haalde diep adem. 'Niets. Hij zou niets zeggen, want er
is niets aan de hand.' Constance staarde strak naar het school-
bord. Rondom ons stroomde het lokaal langzaam vol. 'Whit
vindt me misschien leuk, maar dat is alles. En daar komt hij
snel genoeg overheen, want ik voel absoluut niets voor hem.'

Dat kon ook niet zolang ik nog niet klaar was met Thomas.
En die was nog steeds vermist. Ik rilde bij de gedachte aan de
beschuldigingen van Josh.

Maar al die anderen kenden me dan ook niet. Ze hadden

geen idee dat ik Thomas wilde zien om me ervan te overtuigen dat het goed met hem ging. Om iets te kunnen afsluiten. Ik kon het hen niet kwalijk nemen dat ze het slechtste van me dachten. Zo zat een mens nou eenmaal in elkaar.

Constance zuchtte en wierp me vanuit haar ooghoeken een blik toe. 'Zweer je dat?'

'Eerlijk waar,' antwoordde ik.

De bezemsteel die ze vanaf haar eerste woorden in haar rug leek te hebben gehad, verdween geleidelijk en ze leunde achterover in haar stoel. Ik zag hoe de wiskundedocent, meneer Crandle, buiten de klas met een andere leraar stond te praten.

'Als je hem echt zo leuk vindt, moet je met hem gaan praten,' fluisterde ik. 'Misschien wordt het dan nog wel wat tussen jullie.'

Constance bestudeerde met blozende wangen haar verzorgde nagels en kruiste onder de tafel netjes haar enkels.

'Hij ziet me niet eens staan,' zei ze toen.

'Volgens mij is dat niet waar. Whit lijkt me geen jongen die een oude vriendin van de familie zomaar zou vergeten,' zei ik.

Constance beet op haar lip. 'Misschien. Ik zou het niet weten. Maar stel nou dat hij inderdaad niet meer weet wie ik ben. Dan zou ik me zo opgelaten voelen.' Plotseling lichtte haar gezicht op. 'Maar wacht eens. Misschien kun jij mijn naam eens laten vallen en kijken wat hij zegt?'

Wat was ze toch een schatje. Je zou haar bijna een roze strik ombinden en in een kattenmandje zetten.

'Tuurlijk,' zei ik.

Constance greep mijn hand. 'Echt waar?' riep ze. 'Wat ongelooflijk lief van je!'

Niet echt. Als ik Constance aan Whittaker wist te koppelen, had ik daar zelf alleen maar voordeel van. De Billings Girls zouden misschien teleurgesteld zijn dat ik de jongen 'die me dingen kon geven' niet aan de haak had weten te slaan, maar ze konden het me niet kwalijk nemen als hij verliefd werd op iemand anders. Bovendien zou Whit gelukkiger zijn met Constance en ik hoefde dan tenminste niet met hem om te gaan, wat me voortdurend herinnerde aan die smerige foto's. Dan kon ik me helemaal richten op wat echt belangrijk was: bedenken wat ik aan moest met Natasha, zorgen dat ik niet van school getrapt werd en uitzoeken hoe ik bij die Legacy kon binnenkomen, zodat ik Thomas kon zien. Er zaten voor iedereen alleen maar voordelen aan: voor mij, voor Whittaker en voor Constance.

'Ik ga het regelen,' zei ik met een minzame glimlach.

'Heel erg bedankt.'

Op dat moment kwam meneer Crandle binnen met de andere docent in zijn kielzog. Ik had deze leraar nog niet eerder gezien en terwijl het gefluister in het lokaal aanzwol, begon mijn hart te bonken.

Dit was geen leraar.

'Dit is rechercheur Hauer, mevrouw Brennan', zei meneer Crandle. 'Hij wil u graag even spreken. Wilt u uw spullen pakken en met hem meegaan?'

Iedereen gaapte me aan, terwijl ze toch allang wisten dat dit zou gaan gebeuren. Met trillende handen pakte ik mijn boeken in, terwijl ik een blik op rechercheur Hauer wierp, een kleine, pezige man met een gekreukeld overhemd en een katoenen das. Hij stond met zijn handen op zijn rug voor de klas en nam met een scherpe blik al mijn bewegingen op.

Schuldig. Ik voelde me schuldig onder die blik. Maar waarom? Omdat ik een briefje van mijn ex-vriend had gevonden? Nou, doe me dan maar handboeien om en leid me naar de guillotine.

Ik slaagde erin op te staan zonder door mijn knieën te zakken en liep naar de rechercheur toe.

'Hallo Reed.' Zijn stem was zo diep dat mijn botten ervan trilden.

'Hallo.'

Ik klónk zelfs schuldig.

Hij gebaarde met zijn hand naar de deur.

'U kunt morgen de toets wel inhalen, mevrouw Brennan,' zei meneer Crandle behulpzaam toen ik bij de deur was.

Ja, dat was op dat moment natuurlijk mijn enige zorg.

17

Zeg het gewoon.

Nee, niet doen. Thomas wordt woedend als hij het hoort.

Nou en? Jij bent toch ook al woedend op hem? Trouwens, ze zijn van de politie. Kunnen ze me arresteren voor het achterhouden van gegevens?

Niet doen. Zijn ouders maken hem af als ze het horen. Het is verraad.

Maar hij heeft mij toch ook verraden, door het in een briefje uit te maken?

Vertel het nou maar.

Niet doen.

Kom op nou.

Nee. Nee, nee, nee.

'Je hoeft je geen zorgen te maken, Reed,' zei rechercheur Hauer.

Ik stopte met kauwen op het touwtje van mijn sweater en ging rechtop zitten. 'Ik maak me geen zorgen.'

Ja hoor, dat klonk overtuigend met die overslaande stem.

'Wil je iets drinken?'

'Nee, dank u.'

Ik glimlachte naar de politieman die aan het grote bureau van rector Marcus zat. En toen ook nog naar rechercheur Sheridan, die zich ophield in de hoek, vlak bij de torenhoge boekenkasten. Achter me zat mijn mentor mevrouw Naylor in een leunstoel. Het scheen dat zij er als studentenbemiddelaar bij zat, wat inhield, verwachtte ik, dat ze beleefd moest vragen of ze wilden ophouden als ze me met een telefoonboek begonnen te slaan.

Of ze dat ook echt zou doen, was weer en ander verhaal. Ik had nooit de indruk gekregen dat mevrouw Naylor blij was dat ik op Easton zat, of dat ze zich met mij moest bemoeien.

'We hebben gehoord dat u en de heer Pearson een relatie hadden,' zei de rechercheur met een blik op het papier voor hem.

'Dat klopt.' Ik ging wat rechterop zitten en probeerde te zien wat erop stond.

'Hoe lang al?' vroeg de man. Hij trok het papier iets dichter naar zich toe. Rechercheur Sheridan veranderde van houding. Hij legde een arm over zijn buik en liet zijn elleboog erop rusten, zijn kin in zijn hand.

Ik probeerde te slikken. 'Sinds de derde schoolweek. Niet zo lang dus.'

'Ah,' zei de rechercheur. 'Is het serieus?'

Ik schraapte mijn keel. 'Dat hangt ervan af wat u onder serieus verstaat.'

De man glimlachte welwillend. 'Hoe goed kent u hem?'

'Vrij goed, denk ik. Maar natuurlijk heeft iedereen geheimen, toch?'

Zijn wenkbrauwen schoten omhoog. 'Is dat zo?'

O nee hè, waarom zei ik dat nou? Waarom?

'Deelde Thomas zijn geheimen met u, mevrouw Brennan?' vroeg hij. 'Bijvoorbeeld waar hij heen ging?'

Ja, dat deed hij. Dat deed hij inderdaad.

'Nee,' zei ik. 'Dat deed hij niet.'

De rechercheur keek me aan alsof hij probeerde in mijn schedel te kijken. Ik kreeg het er warm van. Toen keek hij weer omlaag.

'Klopt het dat u vorige week heeft ruziegemaakt buiten de kantine?'

Mijn gezicht werd gloeiend heet. 'Hoe weet u…'

'Er zijn verschillende getuigen die dat gezien hebben,' zei de rechercheur.

O, leuk was dat. Had iedereen hier op school met zijn vinger naar mij zitten wijzen?

'Ja, we hadden ruzie,' zei ik.

'Waar ging die over?'

Over het feit dat hij een drugsdealer is die de hele school van spul voorziet. Dat zouden ze leuk vinden om te horen.

'Eh, dat zeg ik liever niet,' antwoordde ik.

Sheridan en rechercheur Hauer knipperden allebei ongelovig met hun ogen. Hadden ze nog nooit een ontwijkend antwoord van een jongere gehad?

'We zouden het op prijs stellen als u dat toch doet, mevrouw Brennan,' zei Sheridan. Het was de eerste keer dat hij het woord nam. 'We proberen te achterhalen waar Thomas naartoe is. Soms hebben mensen niet door dat kleine details van groot belang kunnen zijn. We proberen vast te stellen of u misschien iets weet wat ons verder kan helpen. Meer niet.'

'O, in dat geval. Ik eh, ik was erachter gekomen dat hij tegen me gelogen had,' zei ik.

'Waarover?'

'Hij had tegen me gezegd dat hij het met zijn ouders over mij gehad had, maar ik had ontdekt dat dat niet waar was,' zei ik. Dat was niet helemaal verzonnen. Ik was daar inderdaad een paar dagen later achtergekomen. 'Daar was ik boos over. Ik maakte het uit.'

'O ja?' vroeg de rechercheur met opgetrokken wenkbrauwen.

'Ja, maar het ging ook weer aan,' zei ik. 'U weet hoe dat gaat.'

Ik giechelde. De rechercheur wreef over zijn slapen en zuchtte. Ik klonk alsof ik niet goed bij mijn hoofd was. Leeghoofdig, stom en zenuwachtig.

De inspecteur maakte een aantekening. 'Wanneer ging het weer aan?' vroeg hij ten slotte.

'Vrijdagochtend,' zei ik met overtuiging.

Rustig aan Reed. Dit viel best mee. Ik kon gewoon antwoord geven. Ik had niets te verbergen.

'Vrijdagochtend?'

Ze leken verbaasd te zijn over dat antwoord.

'Ja.'

'Dat was dus de ochtend dat Thomas verdween,' zei de rechercheur.

Ik schraapte mijn keel. Waarom deed ik dat? 'Sorry,' zei ik hoestend. 'Dat klopt.'

Wanneer hebt u meneer Pearson voor het laatst gezien?' vroeg de man.

'Toen. Die ochtend, bedoel ik. In mijn…'

Nee, dat kan ik niet zeggen. Jongens mogen niet op de kamers komen, sukkel. Ik wilde geen tweede Natasha Crenshaw worden. De blik van Naylor laserde een gat in de achterkant van mijn schedel.

'Nee, achter het gebouw waar ik woonde, Bradwell,' zei ik. 'Voor het ontbijt. Maar daar woon ik nu niet meer. In Bradwell, bedoel ik. Ik woon nu in Billings. Als u dat moet weten voor uw… nou ja.'

Hou je mond. Mond houden nu.

'En de rest van de dag hebt u hem niet meer gezien,' zei de rechercheur.

Ik schraapte nogmaals mijn keel. Ik leek mijn opa wel. 'Nee. Ik heb een paar keer geprobeerd om hem te bellen, maar ik kreeg telkens zijn voicemail.'

'Heeft Thomas Pearson op enige manier getracht contact met u op te nemen sinds uw laatste ontmoeting?'

Nou kwam het. Hij had eindelijk de vraag gesteld.

'Mevrouw Brennan? Heeft hij contact met u opgenomen?'

Ja.

Nee.

Ja.

'Nee,' antwoordde ik.

'U hebt helemaal niets van hem gehoord?'

Technisch gezien niet nee. Je hebt niets gehoord. Je hebt wel iets gelezen, maar niets gehoord, nee.

'Reed?'

'Nee, niets,' zei ik.

Konden ze een huiszoekingsbevel aanvragen voor de kamer van een minderjarige? Misschien hadden ze die niet eens nodig. Misschien waren ze mijn kamer nu al aan het doorzoeken. Misschien hielden ze me hier terwijl hun stoottroepen mijn spullen overhoop haalden. Ik moest die brief verbranden. Ik moest die brief nu meteen verbranden.

'Nee, niets.'

De rechercheur en Sheridan keken met langdurig aan. Lang genoeg om me Ariana's advies te herinneren dat ik hierop voorbereid moest zijn. Dat ik moest weten wat ik wilde zeggen. Lang genoeg om me het zweet te doen uitbreken en om me voor te stellen hoe ik in een arrestantenwagen naar het dorp gereden zou worden voor verdere ondervraging.

Had ze me daarom gewaarschuwd? Wilde ze alleen maar zorgen dat ik hier minder moeite mee zou hebben? Misschien verdacht ze me helemaal niet, maar had ze alleen maar aardig willen zijn.

Verdorie, waarom had ik niet naar haar geluisterd?

'Weet je dat zeker?'

'Nee, niets.'

Dat was het enige wat ik kon bedenken.

Nee niets, nee niets, nee niets. Als ik het zelf geloofde, zouden zij dat misschien ook wel doen.

'Goed, mevrouw Brennan,' zei Sheridan eindelijk. 'Bedankt voor uw medewerking.'

18

Toen ik het kantoor uit liep, voelde ik me hol van binnen. Alsof ik was opgebruikt, uitgewrongen en weggegooid. Ik moest even gaan liggen. Ik deed de deur achter me dicht, leunde achterover tegen de koele stenen muur en liet mijn adem ontsnappen. Ik keek omhoog naar het plafond waar achter matglas een tl-buis zoemde.

Kwam Thomas maar terug. Belde hij maar iemand. Deed hij maar iets. Ik wilde dat dit voorbij was.

'Gaat het?'

Kiran strekte haar lange benen, klikte haar spiegeltje dicht en stond op van de bank aan de overkant van de gang. Ze was net opgemaakt met een vers laagje glanzende lipgloss en eindeloos verlengende mascara. Ze zag er zoals altijd uit alsof ze zojuist een modeshow in Milaan had gelopen. Ik zag er waarschijnlijk uit alsof ik zojuist een marathon had gelopen. In de regen.

Mijn hart klopte in mijn keel. 'Wat doe jij hier?' Ik had gedacht dat ik hier alleen was.

Ze keek me aan alsof ik haar zojuist had geadviseerd over te stappen op de huismerk-make-up van de supermarkt. 'Ik wilde even weten of het goed met je ging. Sorry hoor.'

Wat zouden we nou krijgen? 'Je wilde weten of het goed met me ging?' vroeg ik.

'Ja. Ik had gehoord dat jij de volgende was en ik dacht, nou ja, dat het wel eens eh… lastig voor je zou kunnen zijn,' zei ze met tegenzin. 'Maar als je liever alleen bent…'

Ze streek haar haar uit haar ogen en wilde weglopen, maar ik legde mijn hand op haar arm. Het fluweel van haar jasje was zo zacht dat ik hem onmiddellijk terugtrok, uit angst het te beschadigen.

'Nee, helemaal niet,' zei ik. 'Fijn dat je even kwam.'

Van alle Billings Girls was Kiran de laatste van wie ik enige vorm van genegenheid had verwacht.

Ze bekeek me van top tot teen en glimlachte flauwtjes. 'Graag gedaan. Kom, we gaan. Voordat Naylor erachter komt dat ik loop te spijbelen. Dat mens probeert me al het hele jaar te betrappen.'

Samen haastten we ons de gang door naar het trappenhuis aan de achterkant van het gebouw. Door ditzelfde trappenhuis had ik gerend in de nacht dat ik van haar en haar vriendinnen een natuurkundeproefwerk had moeten stelen uit een van de kantoren beneden.

Die goeie ouwe tijd. Toen had mijn hart het bijna begeven van de stress. Nu had ik met liefde elke nacht een proefwerk gestolen als dat de rest van mijn problemen zou oplossen.

Ik liep achter Kiran aan naar beneden, waar ze de achterdeur van het gebouw openduwde.

'Moet je terug naar de les?' vroeg ze terwijl ze haar Guccizonnebril opdeed.

Ik haalde mijn gele pas tevoorschijn. 'Nee, ik mocht de rest van de dag in de bibliotheek gaan zitten.'

Kiran knikte. 'Mooi zo.'

Ze liep het bochtige pad op dat naar de bibliotheek voerde. Ik wilde haar van alles vragen. Hoe ze wist dat mijn naam de volgende op de lijst was, bijvoorbeeld. En hoe ze uit haar les had kunnen wegkomen. Wat ze bedoelde met de opmerking dat Naylor haar al het hele jaar probeerde te betrappen. Maar ik hield mijn mond.

'Hoe ging het?' vroeg Kiran, haar blik strak vooruit. Ze had haar armen stevig over haar borst gekruist. Haar hooggehakte laarzen tikten op het betegelde pad.

'Het ging wel. Ik werd er wel bloednerveus van,' zei ik. 'Hoezo?'

'Ik weet niet. Jij bent ook al geweest, toch?'

Ze knikte.

'Vind je niet dat ze je op een nare manier aankijken? Alsof je schuldig bent?'

'Zo keken ze niet naar me,' antwoordde Kiran.

O, dat was een hele troost.

'Het was trouwens niet de eerste keer dat ik werd ondervraagd door de politie,' zei ze op een verveelde toon.

'O nee?'

'Ik heb wel eens last van stalkers,' zei ze alsof het de normaalste zaak van de wereld was. 'De politie stelt míj altijd vragen. Alsof ik het heb uitgelokt. Alsof het mijn schuld is dat die gestoorde types zich achter hun computers zitten af te trekken bij mijn foto.'

Aha, vandaar.

'Wat wilden ze van jou weten?' vroeg ze.

Ik haalde diep adem en probeerde het beeld kwijt te raken van een dikke kale man in een hemd voor een lichtgevend computerscherm...

Jakkes. Goed onthouden: nooit beroemd worden.

'Hetzelfde als ze jou en alle anderen gevraagd hebben,' zei ik.

'Echt niet,' zei Kiran lachend. En toen ze mijn verbaasde blik zag: 'Je bent toch zijn vriendin?'

'Ja, ik weet niet,' zei ik terwijl ik door de gevallen bladeren ploegde. 'Ze wilden weten hoe mijn relatie met Thomas ervoor stond, en wanneer ik hem voor het laatst gezien had...'

'En wat heb je toen gezegd?'

'De waarheid,' zei ik. 'Dat ik hem vrijdagochtend gezien had.'

'Was dat alles?' zei ze. 'Ja, ik ben gewoon nieuwsgierig.'

'Ze vroegen natuurlijk ook of ik iets van hem gehoord had,' zei ik. Ik rilde bij de herinnering.

'Ah,' zei ze.

'En toen heb ik gezegd dat ik niets van hem gehoord heb,' zei ik. Ze keek me zijdelings aan alsof ze dacht: dat zal wel. 'Maar ik heb ook niets van hem gehoord,' zei ik. 'Waarom wil niemand dat toch geloven?'

Zijn jullie allemaal helderziend?

'Als hij met iemand contact had opgenomen, dan was het met jou geweest,' zei Kiran koeltjes. 'Thomas staat erom bekend dat hij zijn vriendinnen het belangrijkst vindt in zijn leven. Hij is gestoord. Dat doet hij met iedereen met wie hij iets heeft.'

'Vriendinnen?'

Kiran keek me aan over de rand van haar zonnebril. 'Kom op zeg, je dacht toch niet dat je de eerste was? Hoe naïef kun je zijn?'

Wat?! Kende ik hen? Zaten ze hier op Easton? Wie waren het dan? Ik lachte spottend. 'Met mij had hij dat probleem niet, hoor.'

'Dat denk jij,' zei Kiran.

Au.

We kwamen bij de deur van de bibliotheek. Kiran bleef staan en zette haar zonnebril af. Ze keek me aan met haar prachtige ogen. Ik voelde me haast vereerd dat ze zich ver-waardigde haar blik op mij te laten rusten.

'Maak je nou maar geen zorgen over de politie,' zei ze. 'Het is nu achter de rug. Je hebt hen alles verteld wat je weet en je hoeft je er nu niet druk meer om te maken.'

Heel even voelde ik me beter, waarschijnlijk omdat Kiran de moeite nam om me te troosten. Dat gebaar alleen al was voldoende.

'Je hebt tenslotte niets gedaan,' voegde ze eraan toe.

'Bedankt,' zei ik. 'Fijn dat je even langskwam.'

Kiran zuchtte. 'Hou toch op. Ik hou niet van dat softe ge-doe.'

Ik grijnsde. 'Oké.'

Kiran deed haar zonnebril weer op, duwde de deur open en glipte de vertrouwde, stoffige stilte in.

'Wat ben ik toch dol op de bibliotheek,' zei ze op sarcasti-sche toon.

'Nee ik dan,' antwoordde ik.

Een uurtje rust en stilte was wat mij betreft het hoogte-punt van het jaar.

19

Sinds het verrassende gebaar van Kiran wist ik zeker dat ik nooit in haar spullen of die van de andere meisjes zou kunnen snuffelen. Uitgesloten. We hadden het hier over mijn vriendinnen. Het werd tijd dat Natasha dat onder ogen zag.

Na mijn corvee sjokte ik terug naar mijn kamer, vastbesloten om een eind te maken aan dit belachelijke gedoe. Voor de deur bleef ik even staan en ik haalde diep adem. Ik hoorde dat Natasha binnen was. Dit was het moment. Ik moest haar nu zeggen dat ze het hele plan maar moest vergeten. Ik zou een beroep doen op haar geweten; dat moest ze ergens hebben, anders zou ze zich niet zo druk maken over Leanne en over schuldigen die gestraft moesten worden. Ik zou haar duidelijk maken dat wat ze met mij uithaalde, net zo slecht was als wat ze dacht dat Noelle en haar vriendinnen Leanne hadden aangedaan.

Dat moest haar toch kunnen overtuigen.

Op dat moment kwam Cheyenne om de hoek: 'Hé, nieuwe, je moet wel de deur opendoen als je naar binnen wilt. Tenzij je natuurlijk bovennatuurlijke krachten hebt waar wij geen weet van hebben.'

Ik wierp haar een vernietigende blik toe en ging mijn kamer in. Het bed van Natasha lag vol met netjes gesorteerde kantoorspullen: een berg pennen, een hoopje post-its, een handje paperclips. Ze stond net op om klad- en schrijfblokjes uit de onderste la van haar bureau te halen en die naast de kussens op haar bed te gooien. Blijkbaar was ze aan het opruimen.

'Ah, daar ben je,' zei ze. 'Hoe staan de zaken ervoor?'

'De zaken?'

'Ons projectje,' antwoordde ze ongeduldig. 'Of is de boodschap nog niet tot je doorgedrongen? Moet ik je geheugen even opfrissen?' Ze liep naar haar laptop die ook op het bed lag.

Tot zover het geweten van Natasha.

'Nee, dat hoeft niet,' gromde ik .

Ik liet mijn rugzak met boeken van mijn schouders glijden en smeet hem op mijn eigen, onopgemaakte bed. De sokken die ik gisteren in bed had aangehad lagen opgepropt op de grond en mijn bureau was bezaaid met lege blikjes. Dat Assepoester de rommeligste kamer in het huis had, las je nou nooit in de sprookjesboeken.

'Nou? Ik weet dat je sinds het avondeten hebt lopen schoonmaken,' zei Natasha. Ze kruiste haar armen over haar Easton-trui. 'Iets gevonden?'

Dit kon wel eens vervelend gaan worden. 'Nee.'

Ze sperde haar poppenogen wijd open. 'Helemaal niets? Ik begin te geloven dat je je niet voor de volle honderd procent inzet voor dit project, Reed.'

'Het zijn mijn vriendinnen, Natasha,' zei ik wanhopig. 'Ik wil hun dit niet aandoen.'

Natasha knipperde met haar ogen. Heel even dacht ik dat ik haar de mond gesnoerd had.

'Het móét…' zei ze toen. Ze klonk als een kind van vijf dat zijn zin niet krijgt.

Nou, als ze geen betere argumenten had, werd dit een inkoppertje.

'Kun je het niet op een andere manier oplossen?' vroeg ik.

Natasha ging midden in de kamer staan en keek me aan. 'Je begrijpt gewoon niet hoe het werkt, hè? Alsof ze het allemaal opbiechten als wij het vriendelijk vragen. Zodra ik erover begin, zorgen ze dat elk bewijs verdwijnt. Onze enige kans is een verrassingsaanval. En hun enige zwakte is dat ze zo zelfverzekerd zijn. Het komt niet eens bij hen op dat we iets achter hun rug om zouden doen, en daarom ben jij het perfecte geheime wapen.'

Ik staarde Natasha aan. Ze had hier duidelijk grondig over

nagedacht. Grondig op het griezelige af.

'Nee, ik ga hen niet confronteren met de waarheid. Ik heb bewijs nodig,' zei Natasha. 'En zonder jou krijg ik dat niet in handen.'

'Maar Natasha…'

'Moet ik je er even aan herinneren wat er met je gebeurt als je van school wordt verwijderd?' vroeg ze.

Mijn hart stopte met kloppen. 'Hoe bedoel je?'

'Ik heb dat dorp waar je vandaan komt even opgezocht op internet,' zei ze. 'Net echt. Met een eigen Kamer van Koophandel en zo. Jullie waren zeker wel door het dolle heen toen er vorig jaar een McDonalds werd geopend?'

Mijn handen balden zich tot vuisten.

'En er is zelfs een hbo-opleiding,' ging Natasha verder. 'Nou, als je daar je diploma haalt, heb je het helemaal gemaakt, zeker?'

'Je bent gestoord,' siste ik tussen mijn tanden door.

'Alweer fout,' zei Natasha. 'Ik ben de enige hier die normaal is. Noelle en haar clubje, die zijn pas gestoord. Als je nou eens gewoon doet wat ik zeg, dan kom je daar ook achter.' Ze draaide zich om naar haar bed en klapte haar laptop open. 'Maar ik kan natuurlijk ook even een mailtje sturen…'

'Nee!' bracht ik uit. Natasha's vingers bleven boven het toetsenbord zweven. 'Niet doen,' zei ik berustend. 'Ik doe het wel. Maar ik denk niet dat ik iets zal vinden.'

Natasha deed met een klik haar laptop dicht. 'Tuurlijk niet, schatje,' zei ze sarcastisch. 'Tuurlijk niet.'

20

De volgende ochtend was ik op voordat het eerste straaltje zonlicht de heuvels rond Easton verlichtte. Met klaarwakker in bed liggen, zoals ik bijna de hele nacht had gedaan, schoot ik niets op. Ik had alleen maar naar de muur liggen staren, terwijl er visioenen aan me voorbijtrokken van alle manieren waarop Noelle, Ariana, Kiran en Taylor me zouden betrappen. Ik stelde me voor hoe ze zouden reageren. In één scenario haalde Noelle een slaghout tevoorschijn waarmee ze me op mijn hoofd sloeg, zodat al haar vriendinnen met bloed en hersenen bespat werden. Maar dat had ik op een moment bedacht dat ik ondanks alles half in slaap was gevallen. In elk geval had ik de drie uur daarna de slaap niet meer kunnen vatten.

Daarom stond ik maar op, trok mijn dekens recht, ruimde wat spullen op en nam een douche. Natasha draaide en woelde in haar bed en knorde als ik iets te veel geluid maakte, maar ze zei niets. En dat was maar goed ook. Tenslotte deed ik dit allemaal voor haar.

En voor mezelf. En voor mijn toekomst.

Kort daarop werd iedereen wakker en kon ik gaan stofzuigen. Sommige meisjes zeiden me gedag als ze naar beneden liepen, andere namen die moeite niet eens. Het kon me niet schelen. Ik kon alleen maar denken aan wat ik zo zou gaan doen.

Ik hield me op in de schaduw aan het eind van de gang toen Kiran en Taylor naar buiten kwamen. Ze bespraken of reizen binnen de Verenigde Staten de moeite van het pakken wel waard was. Taylor vond van wel, Kiran van niet. Ik wachtte tot ze de hoek om waren, trillend alsof ik zo meteen mijn beul onder ogen zou moeten komen. Toen sprong ik tevoorschijn en glipte hun kamer in. Zodra ik binnen was, bedacht ik dat die geheimzinnigheid helemaal niet nodig was: ik werd geacht hier te zijn. Onopgemaakte bedden, stapels vuile was, een vochtige badkamer… Ik had zelfs kunnen binnenkomen terwijl zij nog bezig waren om zich aan te kleden. Ze verwachtten niet anders van me. Waarom maakte ik me eigenlijk zo druk?

Iets minder gespannen begon ik de bedden op te maken. Ik zou eerst mijn werk doen en dan een beetje rondsnuffelen. Dan had ik in elk geval mijn corvee gedaan als ik plotseling zou moeten vluchten. Toen alles af was, keek ik om me heen. Waar zou ik beginnen?

Mijn blik viel op de kast van Kiran. Eerst mijn favoriete plek maar. Ik liep ernaartoe, pakte de knoppen van de schuifdeuren vast en luisterde of ik iets hoorde. In een andere kamer stond iemand te douchen, maar meer geluiden klonken er niet. Ik vermande me – ik deed dit tenslotte met een doel, omdat ik niet anders kon – en schoof de deuren open.

Kom op. Laat je niet afleiden door de duizenden dollars aan designerkleren die hier hangen. Doe wat je moet doen.

Onderin stond een muur van schoenendozen, drie hoog en minstens twaalf in de breedte. Ik ging op mijn knieën zitten en maakte de eerste doos open. Zwarte pumps. Daaronder beige suède muiltjes. Daaronder rode sandalen met een hakje. Er stond hier genoeg om helemaal gek te worden.

Concentreren. Wil je nou schoenen passen of je toekomst veilig stellen?

Ik koos voor de toekomst. Een voor een maakte ik de dozen open en vond alleen maar schoenen, schoenen en nog eens schoenen. Daarna begon ik aan de tassen. Ik doorzocht planken vol handtassen, schoudertassen, rugzakjes, buideltassen en enveloptasjes en ging toen verder met de plank boven het hanggedeelte, waar de truien lagen. Het zweet brak me uit. Dit zou uren gaan duren.

Ik sleepte de bureaustoel van Taylor naar de kast en ging erop staan. Voorzichtig duwde ik de eerste stapel truien opzij, zodat het niet zou opvallen dat er iemand aan had gezeten.

Mijn ogen vielen op iets wat daar niet thuishoorde. Een enorme, zwart-witte... nee!

Dit was in elk geval al voldoende om haar te chanteren. Voorzichtig haalde ik twee stapels truien uit de kast en legde ze zorgvuldig op Kirans bed. Toen ging ik weer op de stoel staan om achter in de kast te kunnen kijken. Daar, in de verste, donkerste hoek van de kast, stond een bruine doos met een klein slotje. Hij was volgeplakt met uit tijdschriften geknipte plaatjes. Het leek wel iets uit het huis van een seriemoordenaar.

NEE!

WEGWEZEN

AFBLIJVEN

Kriebelig van nieuwsgierigheid strekte ik mijn handen uit naar de doos en trok hem naar me toe. Hij was van hout en voelde zwaar aan. Tussen de haastig uitgeknipte woorden en letters stonden ook plaatjes van dieren, vooral varkens en olifanten. Wat was dit in hemelsnaam?

Ik trok aan het slotje in de verwachting dat het dicht zou zijn, maar het gaf direct mee. Mijn hart sloeg een slag over. Het eerste waar mijn oog op viel was een plaatje aan de binnenkant van het deksel: twee gigantische, met cellulitis bedekte vrouwenbillen in een gebloemd badpak. Toen rook ik een zoete geur.

Wat Was Dit?!

De doos zat nokvol snoep. Marsen, fudge, Chupachups, Kitkats, M&M's, Chocoprinsen, Milkyways. Wat was dit voor vreemd gedoe? Waarom had Kiran dit in haar kast staan, in een doos met varkens en waarschuwingen erop geplakt? Als ze zich zorgen maakte dat ze te veel zou snoepen, waarom deed ze dan al die moeite om een speciale doos te maken – een doos die bedoeld was om haar ervan af te houden? Was het een soort test of zo?

Die meid was gek.

Mijn oog viel op een notitieboekje met een spiraalrug

aan de zijkant. Ik duwde wat gevulde koeken opzij om erbij te kunnen. Onder het kopje 9 september stond een lijst met alles wat Kiran die dag had gegeten en het aantal calorieën van elk product. Onderaan stond: TWINTIG BISCUITJES en daarnaast, in uitzinnige krasletters: NEE! NEE! NEE!

Ik sloeg mijn hand voor mijn mond. Arm kind. Arm, arm kind. Dit was meer dan een eetprobleem, dit was ziekelijk. Kiran had het er echt moeilijk mee.

Ik sloeg een bladzij om. De dag erna had ze niet gezondigd en stond er een lachend gezichtje onder aan de pagina. Maar daarna volgden dagen vol snoep en getergde uitroepen.

Blijkbaar was Kiran niet zo perfect als ze iedereen wilde laten geloven. Dit had ik nooit gedacht, afgaande op haar nonchalante houding en het gemak waarmee ze haar keuze maakte in de kantine. Ik vond het zielig voor haar, maar was toch blij dat ik dit wist. Het was een hele troost om te weten dat perfectie niet bestond. Maar dit had natuurlijk niets met Leanne te maken.

Met tegenzin stopte ik het eetdagboek terug in de doos en legde al Kirans spullen weer op hun plek. Ik had niets gevonden waar Natasha iets aan kon hebben.

Was dat goed of slecht?

Omdat ik nog een paar minuten over had, besloot ik ook nog even onder Taylors bed te kijken. Toen ik wat opbergdozen met schriften en boeken tevoorschijn trok, viel er een losse stapel papier op de grond. In een oogwenk lag de kamer bezaaid met witte velletjes.

'Verdorie!' mompelde ik en ik begon ze bij elkaar te rapen. Waarschijnlijk had de stapel los boven op een van de dozen gelegen. Het zou me nooit lukken om ze weer in de goede volgorde op te stapelen.

Als ze nu maar genummerd waren. Maar toen ik de velletjes op een stapel begon te leggen, merkte ik dat het niet uitmaakte wat de volgorde was. Op elk papier stond precies hetzelfde: één zin, eindeloos herhaald: IK BEN GOED GENOEG ZOALS

IK BEN. IK BEN GOED GENOEG ZOALS IK BEN. IK BEN GOED GENOEG ZOALS IK BEN. IK BEN GOED GENOEG ZOALS IK BEN.

Ik moest ondanks de spanning lachen, maar voelde me meteen schuldig. Taylor was een beetje raar. Ik had altijd wel gedacht dat geniale mensen een beetje vreemd waren, maar dit was belachelijk. Minstens vijftig bladzijden met alleen maar dit erop? Ze was het slimste meisje dat ooit door de gangen van Easton had gelopen. Hoe was het mogelijk dat ze deze bevestiging nodig had? Wanneer had ze überhaupt de tijd om dit allemaal op te schrijven?

Geheime snoepvoorraden en obsessieve zelfbevestiging. Het was niet zo raar dat deze twee elkaar gevonden hadden. Zouden ze van elkaar weten waar ze mee bezig waren? Dan konden ze elkaar misschien helpen.

'Taylor, schiet eens op!' riep iemand van beneden.

Mijn hart vloog in mijn keel. Op de trap klonken voetstappen.

'Ik moet mijn agenda nog even pakken,' riep Taylor terug. Ze was al in de gang.

Heftig trillend smeet ik de papieren terug boven op de doos en duwde die onder het bed. Toen nog een en nog een. De derde doos stootte tegen de poot van het bed en ik probeerde hem er net langs te wurmen toen de deur openvloog. Ik stond op, trok mijn trui naar beneden en keek recht in Taylors verbaasde ogen.

'Jeetje, Reed! Je maakt me aan het schrikken.' Toen wierp ze een blik op haar bed.

'Sorry. Ik was hier net klaar,' zei ik.

Ze deed onzeker een stap in mijn richting. Het was haast of ze wist wat ik gevonden had. 'O. Oké.' Ze pakte haar elektronische agenda van haar nachtkastje en glimlachte. 'Kom, dan gaan we... ontbijten.'

'Goed,' zei ik. 'Even mijn boeken pakken.'

Taylor stopte even in de gang. 'O, trouwens, Reed?' Ze rommelde in haar tas en haalde er een netjes geprinte pagina uit in een doorzichtig blauw mapje. 'Jij weet nogal veel van literatuur, toch?'

Ik trok de deur achter me dicht. 'Ja, hoezo?'

'Nou, ik vroeg me af of je dit opstel even zou willen doorlezen.' Ze stak het me toe. 'Ik weet wel dat ik voorloop en zo, maar er moet toch even iemand naar kijken voordat ik het inlever. Ik wil zeker weten dat het... nou ja, dat het goed genoeg is.'

Goed genoeg. Goed genoeg. Goed genoeg. Goed genoeg. Jeetje. Ik zag het voor mijn ogen gebeuren.

'Het is vast prima,' zei ik nadrukkelijk. 'Ik hoor altijd van iedereen dat je de slimste leerling bent die hier ooit heeft rondgelopen.'

'Ja, dat denken ze,' zei Taylor met een flets glimlachje. 'Maar ik wil toch wel graag jouw mening.'

'Tuurlijk. Ik zal er vandaag even naar kijken,' zei ik terwijl ik wegliep.

'Waar ga je heen?'

'Naar mijn kamer. Even mijn tas halen.'

'O, ja. Natuurlijk. Ik zie je zo beneden wel,' zei Taylor opgewekt. 'En bedankt hè!'

'Graag gedaan.'

Ik haastte me naar de veiligheid van mijn eigen kamer, deed de deur achter me dicht en bekeek het opstel. Arme Taylor. Dus ze dacht een tweedejaars nodig te hebben om haar te vertellen dat dit een goed opstel was? En Kiran! Wie had ooit gedacht dat deze superieure wezens zulke geheimen hadden?

De andere meisjes op school zouden een moord doen voor dit soort informatie. Helaas was er één persoon die het allemaal niets uitmaakte: Natasha. Er was maar één ding dat ze wilde weten, en dat had ik niet gevonden. Nóg niet gevonden.

21

Die zaterdag was een prachtige herfstdag met een frisse wind
en een lucht zo blauw dat hij wel nep leek. Een ideale dag
voor voetbal. Een ideale dag om mijn dagenlang opgespaarde
agressie af te reageren op nietsvermoedende meisjes van de
Barton School. Oranje, bruine en gele bladeren dansten rit-
selend over het bedauwde gras toen Josh, Kiran, Taylor en ik
naar het parkeerterrein liepen, waar verschillende touringcars
stonden te wachten om ons naar de uitwedstrijden in Barton
te brengen. Taylor en Kiran speelden allebei hockey en hun
wedstrijd was op het veld naast dat van ons. Het zou hard
tegen hard gaan: gefluit, geschreeuw, krakende botten. Ik had
er nu al zin in.

Josh rekte zich uit met zijn armen boven zijn hoofd. 'Ik
wou dat ik nog even kon slapen. Volgens mij heb ik vanmor-
gen te veel pannenkoeken gegeten. Ik ben niet meer vooruit te
branden.'

'Dan zullen ze vandaag wel veel aan je hebben op het voetbalveld,' plaagde ik.

Josh speelde net als ik in de verdediging, maar dan in het
jongensteam.

Kiran sloeg haar armen over haar maag heen. 'Hoe kun je
die dingen eten? Er zitten genoeg calorieën in voor een hele
week.'

'Alsof jij ooit in één keer genoeg eet voor een week,' zei
Noelle pesterig. 'Zelfs niet ín een week.'

'Hé, ik eet echt wel hoor. Echt waar. Dat heb je toch zelf
gezien,' antwoordde Kiran heftig. 'Jij hebt me toch zien eten,
Reed?'

'Eh, ja,' antwoordde ik. Dat was ook zo. Tot ik die rare doos
had gevonden, had ik nooit vermoed dat Kiran iets mankeerde.
'Natuurlijk eet je. En je ziet er trouwens prima uit.'

Wat bevestiging kon nooit kwaad.

'Zie je nou wel,' zei Kiran triomfantelijk. 'Reed heeft gezien dat ik zat te eten.'

'Oké, oké, rustig nou maar, je hoeft je niet zo op te winden,' zei Noelle.

'Rare jongens, die meiden,' zei Josh.

'Ander onderwerp graag,' zei Taylor met een ongeruste blik op Kiran. Misschien wist ze toch wat er in de kast van haar kamergenoot stond.

'Goed hoor,' zei Noelle. 'Hoe gaat het met jou en Whittaker, Reed?'

Ik wierp een geschrokken blik op Josh, die plotseling zeer geïnteresseerd was in de dichtstbijzijnde boom.

'Hoe gaat wat?'

'Heeft hij al gevraagd of je verkering wilt?' vroeg Kiran sarcastisch, wat bij Taylor een spottende lach veroorzaakte.

'Ja, is het al aan?' vroeg Taylor.

'Hij lijkt uit een ander tijdperk te komen, vinden jullie ook niet?' zei ik. 'Alsof wij allemaal petticoats en hoge paardenstaarten moeten dragen.'

'Ik vind hem wel lief,' zei Noelle. 'Hij is een echte gentleman.'

Kiran, Taylor, Josh en ik stonden als één man stil. Noelle stopte een paar passen verderop ook en draaide zich met een geïrriteerde zucht om. 'Is er iets?'

'Ja, je hebt zojuist iemand een compliment gemaakt zonder een spoor van sarcasme of kwaadaardigheid,' zei Kiran.

'Niet zomaar iemand. Walt Whittaker,' voegde Taylor daaraan toe.

'Ben je weer aan de pillen?' vroeg Kiran.

'Je bent model, Kiran. Dan moet je niet proberen ook nog grappig te zijn,' zei Noelle, wat haar een lach van Josh opleverde. 'En – interessant nieuwtje – ik heb Reed aan hem gekoppeld. Het is dus mijn taak om geen grappen over hem te maken voordat ze van bil zijn gegaan.'

Die opmerking veroorzaakte braakgeluiden alom.

'Ik ben niet van plan om... iets dergelijks te gaan doen,' zei ik in een poging overtuigend te klinken. 'We zijn gewoon vrienden.'

Noelle deed een stap in mijn richting. 'Weet je dat zeker?'

Ik stak mijn kin vooruit. Ze kon me dwingen om haar kamer te stofzuigen, de haren uit haar borstel te halen en haar schoenen te poetsen, maar met wie ik verkering had, bepaalde ik zelf wel. Ik moest ergens een grens stellen. Josh keek me nauwlettend aan.

'Ja, dat weet ik zeker.'

'Nou, misschien moet je hem dat dan maar vertellen.' Noelle draaide zich om en wees. Daar kwam Whit met een blije lach op zijn gezicht aanlopen. 'Want dat is niet het gezicht van iemand die een praatje komt maken met een vriendin.'

'Een goedemorgen, tezamen,' zei Whit met een knikje van zijn hoofd. 'Hoe is het met iedereen op deze prachtige dag?'

Noelle sloeg haar arm om Kirans schouder. 'Fantastisch, Whit, dank je.' Kiran draaide zich om en proestte in Noelles jas. 'We laten jullie even alleen.'

'Goed idee. Doei Whit!' zei Taylor, waarna ze gedrieën arm in arm wegtrippelden in de richting van de bussen, mij ziedend achterlatend in de aanwezigheid van Whit.

'Tot later,' voegde Josh eraan toe voordat hij zich uit de voeten maakte.

'Dag!' zei ik luid, alsof hij daardoor terug zou komen om me te redden.

'Hé, Reed,' zei Whit hees. 'Hoe is het met je?'

'Prima.' Ik draaide me om en liep verder. Natuurlijk kwam hij naast me lopen. 'En met jou?'

'Uitstekend,' zei hij met een knikje. 'Dank je.'

We waren nu bij de rand van het parkeerterrein aangekomen. Overal stonden groepjes te wachten terwijl de buschauffeurs en de trainers probeerden uit te zoeken welke bus waarheen ging. Een paar van de jongensteams moesten naar andere scholen en blijkbaar was er iets mis gegaan in de communicatie. Ik stond zuchtend stil. Mijn kans om in een bus te springen en ervandoor te gaan was verkeken.

'Wat voor sport doe jij?' vroeg Whit.

'Voetbal.'

'Ruige sport,' zei hij. 'Daar lijk je me veel te fijngebouwd voor.'

'Nou, dan ken je mij nog niet,' antwoordde ik, iets scherper dan ik eigenlijk wilde.

Het leek Whit echter niet op te vallen. Hij wierp me glimlachend een lange blik toe, alsof ik iets grappigs gezegd had. Lang genoeg om me te laten rillen. Toen betrok zijn gezicht plotseling.

'Wat is er?' vroeg ik.

'Je hebt de oorbellen niet in,' zei hij.

Hij stak zijn hand uit en kneep zachtjes in mijn oorlel. Ik hield mijn hoofd scheef en maakte me los.

Niet te geloven. Was ik niet duidelijk genoeg geweest? Misschien moest ik tegen hem zeggen dat ik een vriendje had. Alleen was dat niet waar, met dank aan het briefje van Thomas. Maar dat wist alleen ik.

Was Thomas maar hier. Dan kon ik hem wurgen.

'Nee, dat vond ik een beetje overdressed voor een voetbalwedstrijd,' zei ik.

'Maar je hebt ze nog helemaal niet in gehad sinds ik ze heb gegeven,' zei hij. 'Vind je ze niet mooi?'

'Dat is het niet…' zei ik. 'Alleen…'

Vanuit mijn ooghoeken zag ik Constance staan bij het veldloopteam. Ze hield mij – ons – nauwlettend in de gaten. Ik wenkte haar stiekem vanuit mijn zij.

'Het zijn oorbellen voor een speciale gelegenheid,' zei ik. 'Ze zijn te mooi om zomaar elke dag te dragen.'

Constance schudde nauwelijks waarneembaar haar hoofd en schuifelde heen en weer. Ik bewoog mijn vingers nadrukkelijker.

'Maar de man in de winkel zei nou juist dat het oorbellen voor elke gelegenheid waren,' zei Whittaker. 'Daarom heb ik ze ook aangeschaft. Zodat je ze elke dag zou kunnen dragen.'

Achter me giechelde iemand. Stiekem afluisteren, bah! Ik vond de wending die dit gesprek nam helemaal niet leuk en het laatste waar ik op zat te wachten was iemand die zat mee te luisteren. Ik deed het enige wat ik kon bedenken: ik offerde een vriendin op.

Ik draaide me om en sperde mijn ogen open: 'Constance,' riep ik luid. 'Hé, jou moest ik net hebben!'

Niemand kon zo verbijsterd kijken als Constance. Ze stond als verlamd, haar ogen zo groot als schoteltjes. Toen ging er een schokje door haar hoofd, ze keek Whittaker aan en in één keer veranderde haar hele uitdrukking. Charmante glimlach, flirterig scheefgehouden hoofd, roze wangen.

'Hoi Reed,' zei ze. 'Hallo Walt.'

Even leek Whittaker verontwaardigd te zijn door de onderbreking en het feit dat iemand hem bij zijn voornaam noemde, maar toen klaarde zijn gezicht op.

'Constance! Constance Talbot! Mijn ouders zeiden al dat je hier studeerde! Wat leuk om je te zien!'

Constance liep naar ons toe en toen Whittaker zich voor-overboog om haar een kus op haar wang te geven, was ik even bang dat ze het in haar broek zou doen. Er straalde genoeg geluk van haar gezicht af om alle aanwezige studenten te ver-warmen.

'O, kennen jullie elkaar al?' vroeg ik, verbazing acterend. 'Dat is nog eens leuk. Twee van mijn beste vrienden blijken elkaar al te kennen.'

Whit keek me verward aan.

'Begin dit jaar hebben we een kamer gedeeld,' legde ik uit. 'Constance is een schat.' Ik sloeg mijn arm om Constance heen, die me met een dankbare grijns aankeek. 'Wist je dat ze voor de *Gazette* schrijft? Vertel hem eens over dat voorpagina-artikel waar je mee bezig bent.'

Constance bloosde. 'Nee joh, dat stelt niets voor.' Ze keek naar Whit met pure aanbidding in haar ogen. 'Ik wil veel liever horen over je reis. Was het echt zo gaaf als iedereen zegt?'

Goed zo, Constance. In één keer zijn favoriete onderwerp. Ze was veel te bescheiden over zichzelf; ze wist precies hoe ze dit moest aanpakken.

'Feitelijk nog beter,' antwoordde hij. 'China is ronduit indrukwekkend. Als je aan de voet van de Chinese Muur staat, begrijp je pas echt hoe groot het menselijk vermogen om...'

'Ik laat jullie even lekker bijpraten,' kwam ik tussenbeide voordat ik ook in het gesprek betrokken zou worden. Ik zag hoe achter Constance Noelle en wat andere meisjes van het voetbalteam eindelijk een bus in stapten. 'Volgens mij zijn ze eruit.'

Whittaker keek me fronsend aan. 'Maar ik...'

'Doei!' toen draaide ik me om en draafde weg.

Ik klom in de bus, ging voorin zitten en tuurde door het raam. Whittaker stond nog steeds met brede gebaren te vertellen, en Constance luisterde bewonderend naar wat hij zei. Zoals ze daar in de zon stonden, zij in haar Easton-trui en hij in zijn bandplooibroek, met hun frisse, regelmatige gezichten, vormden ze het perfecte, rijke privéschoolstel.

Ik kon alleen maar hopen dat Whittaker dat binnenkort ook zou inzien.

22

Noelle Lang had ziekelijk veel spullen. Honderden cd's, samengepakt in leren dozen in haar kast. Een stuk of zes met zijde beklede dozen met een wirwar aan kettingen, armbanden en oorbellen erin, die stuk voor stuk veel te duur waren om zo achteloos bij elkaar gesmeten te worden. Laden vol foto's en ansichtkaarten en uitnodigingen voor liefdadigheidsbijeenkomsten en modeshows. Toegangskaartjes voor Londense theaters, glazen uit exotische bars, drie verschillende iPods, met stras ingelegde make-updoosjes, leren polsbandjes, goud met leren sleutelhangers, geurkaarsen, digitale camera's, bewerkte ceintuurs, nagelsetjes, telefoonhoesjes. Er kwam geen eind aan. Ik had werkelijk geen idee hoe ik in deze puinhoop iets zou moeten vinden waar Natasha iets aan had.

Ik schoof de onderste lade dicht, stond op en blies het haar uit mijn gezicht. Ik durfde nauwelijks onder het bed te kijken. Wat bewaarde ze daar allemaal? Haar illegale bont? Haar goud- en zilverstaven?

Eén voordeel: ik had de tijd. Noelle en Ariana zaten als het goed was de hele avond in de bibliotheek te leren voor een of ander enorm examen Engels. Of, waarschijnlijker, ze zaten de hele avond te kletsen in het vertrouwen dat hun eeuwige geluk hen niet in de steek zou laten.

Dat eeuwige geluk was precies de reden dat ik hier was. Hetzelfde geluk hebben, dat was het enige wat ik wilde. Het was jammer dat ik hen moest verraden om het te krijgen, maar daar kon ik nu niet bij stilstaan. Er moest gewerkt worden.

Ik wilde net op handen en knieën het zijden dekbed van Noelle optillen, toen mijn oog op iets viel. Ter hoogte van de vloer stak iets roods uit vanachter de kast. Nieuwsgierig kroop ik erheen om te kijken. Het zag eruit als een hoek van een leren tas. Plotseling begon mijn hart als een bezetene te slaan. Dit zou wel eens kunnen zijn wat ik zocht.

Ik trok de tas tevoorschijn. Het was een onopvallend, plat, rood handtasje. Ik zette het rechtop tegen het bed en maakte de rits open. Er zaten een stuk of tien foto's in.

Ik haalde er een uit en moest bijna kokhalzen. Het was Dash. Bloot. Volledig bloot. En zeer... laten we zeggen... opgewonden.

Er ontsnapte me een lach en ik legde de foto gauw omgekeerd op mijn schoot.

Allemachtig. Was dit echt? Langzaam tilde ik een hoekje van de foto op en gluurde eronder. Ja. Niets neps aan. Hij lag op zijn zij op een groot bed, zijn hoofd steunend op zijn hand, zijn strakke borstkas goed zichtbaar en zijn penis recht overeind.

Nou nou, die was bepaald fors geschapen. Hij kon een fortuin verdienen in de porno-industrie.

Snel haalde ik de andere foto's tevoorschijn. Dash naakt op de rand van het bed. Dash naakt met een grijns op zijn gezicht, Dash naakt, Dash naakt, Dash naakt. En als klap op de vuurpijl Dash naakt met een teddybeer in zijn armen. Hoezo chantage? Als ik ooit nog Dash McCafferty onderuit wilde halen, dan had ik nu voldoende materiaal in handen. Hoofdschuddend stopte ik de foto's terug in het tasje en duwde dat weer achter de kast, waarbij ik ervoor zorgde dat er dit keer niets meer van te zien was. Niemand hoefde dit te vinden. Dit was mijn goede daad voor vandaag.

Ik haalde diep adem en besloot eens aan Ariana's kant van de kamer te kijken. Dit keer begon ik met de kast en stootte direct door naar de bovenste plank. Daar had ik immers ook Kirans grote geheim ontdekt. Helaas was er op Ariana's planken niets schandaligs te vinden, afgezien van een roze gehaakte trui die ik haar nooit had zien dragen en die ze hopelijk ook nooit zou aantrekken. Duidelijk zo'n cadeau van je oma en waarvan je het niet over je hart kunt verkrijgen om het weg te doen. Ik sprong van de bureaustoel af en liet me op de grond vallen.

Tegen de achterwand stond een ouderwetse hutkoffer. Hé. Die zag er wel uit alsof hij iets belastends zou kunnen bevatten. Ik trok hem naar me toe en tilde het deksel op. Erin zaten stapels schriften, exemplaren van het literaire blaadje van Easton, een aantal nummers van het blad *Poetry* en *Writer's Weekly* en wat dozen met pennen en potloden. Ik tilde een stapel tijdschriften uit de koffer op zoek naar iets wat er niet in thuishoorde. Er zaten volgeschreven bladzijden en kladjes tussen in Ariana's handschrift. Kladversies van gedichten en onuitgewerkte ideeën. Als ik wat meer tijd had gehad en toestemming van Ariana, had ik wel wat dingen willen lezen, maar daarvoor was ik nu niet hier. Het zag ernaar uit dat ook dit me niet verder zou brengen.

Ik wilde net de tijdschriften terugleggen toen ik een klein stukje van een bruin lint zag dat vast leek te zitten tussen de bodem en de zijkant van de koffer. Hoe was dat ertussen geraakt? Met ingehouden adem trok ik eraan. Leek het maar zo, of bewoog de bodem van de koffer?

Ik wierp een blik op de buitenkant. Het leek of de bodem van de binnenkant een centimeter of zes hoger was dan de bodem van de buitenkant.

De hutkoffer had een dubbele bodem.

Met bonkend hart dook ik in de koffer en haalde alles eruit. Ik wist dat dit gevaarlijk was. Er zat een enorme hoop troep in en het zou wel even duren voordat ik alles er weer in had. Toch moest ik weten wat er onder de dubbele bodem zat. Als Ariana al iets te verbergen had, dan had ze dat in elk geval een stuk beter gedaan dan haar vriendinnen.

Toen de koffer leeg was, greep ik het lint en trok eraan. De bodem van de koffer kwam omhoog en daaronder verscheen een dunne, zwarte laptop.

Ik wierp een blik over mijn schouder. Ariana had een kant-en-klare Mac op haar bureau staan. Wat moest ze met een tweede, geheime computer?

Met trillende handen tilde ik de laptop uit de koffer en zette hem op mijn schoot. Ik klapte het deksel open en drukte op de aan-knop, biddend dat er niemand binnen zou komen. Het duurde een aantal angstige minuten voordat de computer was opgestart. Wat zou erop staan? Het bewijs waarnaar Natasha op zoek was? Hadden Ariana en de anderen echt een complot gesmeed om Leanne van school te laten trappen? Het was wel duidelijk dat Ariana iets te verbergen had. Als je gewoon wilde voorkomen dat je laptop gestolen werd, nam je niet zulke uitgebreide voorzorgsmaatregelen. Trouwens, hier op school kon iedereen er wel tien kopen als hij wilde.

'Schiet op,' fluisterde ik. 'Schiet op…'

Eindelijk verscheen er een venster in het zwarte scherm.

'Welkom Ariana,' stond er, en daarna: 'wachtwoord?'

En daaronder een wit vakje met een pesterig knipperende cursor. Hier kwam ik niet in zonder wachtwoord.

Shit.

Beneden ging de voordeur van Billings open en met een klap weer dicht. Ik stond meteen rechtop, zette de computer zorgvuldig terug, duwde de dubbele bodem omlaag en legde alle spullen weer in de hutkoffer. Toen zette ik die terug in de kast, glipte de deur uit, draafde naar het trappenhuis en haastte me naar mijn eigen verdieping. Pas in mijn eigen kamer durfde ik weer adem te halen. Leunend tegen mijn deur hijgde ik uit met mijn hand op mijn maag.

Ik was iets op het spoor, ik voelde het gewoon. Ik moest aan het wachtwoord van die computer zien te komen, maar hoe? Als Ariana iets tegen me zei wist ik de helft van de tijd niet waar ze het over had, dus hoe moest ik ooit haar geheime wachtwoord achterhalen?

Ik moest het hoe dan ook hebben. Als er iets te vinden was, stond het op die computer, zoveel was wel duidelijk.

23

'Reed! Reed! Wacht even!'

Ik bleef staan op de trap naar de bibliotheek terwijl Constance op een drafje naar me toe kwam rennen. Haar gezicht was roze en haar ogen straalden opgewonden. Hijgend en met haar hand op haar hart bleef ze voor me staan en wachtte tot ze weer op adem was gekomen. Als je haar zag kon je alleen maar aan stralende voorjaarsdagen en bloeiende bomen denken.

'Heel erg bedankt dat je me gisteren in contact hebt gebracht met Whittaker,' begon ze. 'Dat zou ik uit mezelf nooit gedurfd hebben, maar hij was zó aardig. We hebben zo lang staan kletsen dat meneer Shreever begon te roepen dat ik eindelijk moest instappen. Door mij waren we te laat bij de wedstrijd!'

'Gaaf. Blij dat je er iets aan gehad hebt,' zei ik.

'Hij heeft me alles verteld over zijn reis naar China en hij vroeg ook naar mijn vakantie in Cape Cod. Hij wist nog dat mijn familie elke zomer naar de Cape gaat. Dat is ook logisch, want zij zijn een paar keer bij ons geweest toen we daar waren. Maar goed, toch aardig dat hij ernaar vroeg, vind je niet?'

'Nou en of,' zei ik, ook lachend. Het was haast onmogelijk om niet te lachen bij zo veel enthousiasme.

Constance pakte mijn arm die ik om mijn boeken had geslagen. 'Had je het idee dat hij met me flirtte?' vroeg ze.

'Ik...'

'Nee, natuurlijk niet. Waarom zou hij met mij flirten?' zei Constance. Ze trok me aan de kant om een paar studenten te laten passeren. 'Hij kent me al sinds mijn Elmo-obsessie,' zei ze, haar blik op de grond gericht.

'Je Elmo-obsessie?'

'Ja, ik ben jarenlang helemaal gek geweest van Elmo,

je weet wel, van Sesamstraat. Ik heb met die stomme pop rondgelopen tot ik negen was,' zei Constance. 'Mijn broer Trey heeft hem ooit in de zee gegooid en toen is Walt erachteraan gedoken om hem te redden.' Ze zuchtte. Voor het eerst in mijn leven zag ik een 'hemelse blik' in levende lijve. Een beetje eng was het wel. 'Dat zal ik nooit vergeten.'

'Toe maar,' zei ik. 'Hij is een held.'

'Dat vind ik nou ook,' zei ze en trok rimpels in haar neus. 'Maar goed, ik heb het gevoel dat hij me wel ziet zitten. Walt Whittaker. Ik kan het gewoon niet geloven. Hij zei zelfs dat we maar eens samen moesten gaan eten. Om herinneringen op te halen!'

Ik haalde diep en opgelucht adem. 'Wat fijn dat het allemaal zo goed ging.'

'Ja, hè?' Toen pakte ze me met beide armen vast en omhelsde me. Hard. Constance was knokiger dan ze eruitzag.

'Kom, dan gaan we studeren!' zei ze.

Toen ze me door de deur de bibliotheek in trok, had ik de indruk dat ik in elk geval één gevaar had weten af te wenden. Als Whit Constance wat beter zou leren kennen, zou hij wel inzien dat ze tien keer geschikter voor hem was dan ik. En dat ze tien keer zo graag verkering met hem wilde. Dan zou ik me geen zorgen meer hoeven te maken over hoe ik zijn toenaderingspogingen moest ontwijken of hoe ik hem eraan moest herinneren dat we gewoon vrienden waren. Eén ding minder om me druk over te maken.

En dat was precies wat ik op dit moment hard nodig had.

24

Toen ik die avond aanschoof bij het eten, was er een verhitte discussie gaande. Dash stond duidelijk aan de ene kant en Noelle aan de andere. Het was nog niet duidelijk aan welke kant de anderen stonden. Ik bloosde toen ik langs Dash liep en ik ging aan zijn kant van de tafel zitten, zo ver mogelijk van hem vandaan, zodat ik zo min mogelijk van hem kon zien. Sinds mijn illegale ontdekking in Noelles kamer viel het me niet mee om in dezelfde ruimte te verkeren als hij, zonder voortdurend zijn onderste regionen op mijn netvlies te krijgen.

Twee seconden later kwam Josh tegenover me zitten. 'Hé.'

Ik lachte naar hem. 'Hé, Josh.'

'Maar hoezo dan?' hoorde ik Dash zeggen. 'Eén telefoontje en er staat een limo voor ons klaar. Waarom zou je dan twee uur lang moeilijk gaan zitten doen?'

'Dash, je begrijpt er ook niets van. Bij dit feest draait het allemaal om traditie,' antwoordde Noelle, gebarend met haar vork. 'En de trein nemen hoort daar ook bij.'

Mijn hart stokte even. Ze hadden het over de Legacy, dat kon niet anders. Nog nooit hadden de Billings Girls er zo openlijk in mijn bijzijn over gepraat. Zouden ze me dan eindelijk, eindelijk gaan uitnodigen?

'Ze heeft wel gelijk,' zei Gage, die achteroverleunde op de twee achterpoten van zijn stoel. 'De treinreis is onderdeel van de lol.'

'Ja, onwijs lollig toen jij vorig jaar het raampje onderkotste zodat het over de achterkant van mijn jas droop,' zei Dash grimmig. 'Echt lachen.'

'Moet je nou eens luisteren,' zei Noelle. 'De Legacy bestaat al generaties.' Ze beet een stuk van een worteltje af. 'Onze voorvaders gingen met de trein naar de Legacy en dus doen wij dat ook.'

'Sinds wanneer kunnen jouw voorvaders je iets schelen?' vroeg Dash.

'Sinds wanneer smeer jij wax in je haar?' vroeg Noelle met een afkeurende blik.

'O ja, verander maar snel van onderwerp,' antwoordde Dash.

Hadden ze nou niet door dat nog niemand me officieel had verteld waar het over ging? Zo had Assepoester zich dus gevoeld toen haar irritante stiefzusjes bleven doorzeuren over dat verdomde bal van de prins.

Nou, dan moest ik het lot maar in eigen hand nemen. Soms staat een vrouw maar één ding te doen.

Ik leunde naar voren. 'Eh, mag ik iets vragen?'

Noelle, Kiran, Taylor en Ariana, Gage, Josh, Dash en Natasha; allemaal draaiden ze zich naar me toe en staarden me aan. Het leek wel of ze vergeten waren dat ik bestond en schrokken van het feit dat ik iets zei.

'Wat is die Legacy eigenlijk?'

Noelle en Kiran wisselden een blik. Gage lachte spottend, liet zijn stoel op de grond neerkomen en pakte een broodje van zijn bord.

'Dat is voor ons een weet en voor jou zal het altijd een vraag blijven,' zei hij, met iets te veel plezier in zijn stem.

'Grappig,' antwoordde ik.

Josh schraapte zijn keel. 'Toch heeft hij wel een punt,' zei hij met een verontschuldigende blik.

Er kroop een blos omhoog langs mijn wangen. 'Doe niet zo flauw.'

Dash schraapte ook zijn keel en leunde voorover om mij te kunnen zien. Ik kon hem niet meer zien zonder aan de foto's te denken.

'Reed,' zei hij met een ernstige blik, 'de Legacy is een besloten feest. Er worden alleen leerlingen uitgenodigd van privéscholen.'

'Dat weet ik,' zei ik.

Mijn maag kneep samen. Er stond niemand te dringen om voor mij een uitzondering te maken. Om te zeggen dat ze wel een manier zouden vinden om mij binnen te krijgen. Was het mogelijk dat de theorie van Constance nergens op sloeg?

'Niet zomaar leerlingen,' corrigeerde Kiran hem. 'Leerlingen van wie de familie al generaties lang op privéscholen zit.'

Ik keek naar mijn eten. 'Ah.'

'Wij stammen af van de pelgrims die in 1620 met de Mayflower naar Amerika kwamen,' voegde Gage eraan toe.

Oké, oké. Ik mag niet komen. Wrijf het me maar even lekker in.

'De enige manier om toch binnen te komen, is als introducé,' zei Noelle met een blik naar Dash, die plotseling alleen nog maar oog had voor zijn eten. 'En er zijn maar heel, héél weinig mensen die een introducé mogen meenemen. Dan moet je familie ongeveer teruggaan tot de middeleeuwen.'

'En waar moet Reed in hemelsnaam iemand met een extra kaartje vandaan halen?' vroeg Kiran zich hardop af.

Ik keek de kring rond, wachtend op een antwoord, tot Noelle met haar hoofd knikte naar het andere eind van de zaal. Ik volgde haar blik en draaide me om. Whittaker. Whittaker, die zoals altijd stond te praten met een volwassene, rector Marcus in dit geval.

Plotseling ging me een licht op. Daarvoor had London hem willen gebruiken. Daarom had Paris gezegd dat elk meisje op school de komende weken achter hem aan zou zitten. Whit kon met zijn felbegeerde introductierecht een meisje binnenloodsen bij de Legacy. Walt Whittaker was mijn enige kans om geïntroduceerd te worden op de Legacy.

Ik keek nogmaals naar Noelle. Ze trok een wenkbrauw en een schouder op, alsof ze wilde zeggen: ik zei het je toch? Dit was vanaf het begin haar plan geweest. De dingen die Whittaker me zou kunnen geven en die anders buiten mijn bereik zouden liggen. We hadden het niet over diamanten oorbellen of andere dure cadeaus. We hadden het over uitnodigingen voor exclusieve feestjes. Over een entree in de wereld van de elite. Het was niet genoeg om een Billings Girl te zijn. Voor mij niet, althans. Ik was een speciaal geval. Ik had een krui-wagen nodig.

Ik haalde diep adem. Wat Noelle niet wist, was dat ik niet als Whittakers introducé kon gaan. Ik kon hem niet aan het lijntje houden alleen maar om uitgenodigd te worden voor een feest, hoe intrigerend en mysterieus en exclusief dat feest ook mocht zijn. Hij vond me duidelijk leuk. Erg leuk. Het zou gemeen zijn om hem zo te gebruiken. En trouwens, Constance was enorm verliefd op hem. Dat kon ik haar niet aandoen. Maar…

'Denken jullie echt dat Pearson ook komt?' vroeg Josh.

Daar hadden we de 'maar'.

'Tuurlijk. Waar hij nu ook uithangt, hij komt naar de Legacy,' zei Dash. 'Al moet hij ervoor uit zijn kist komen.'

Thomas zou op de Legacy zijn, daar leken zijn vrienden behoorlijk van overtuigd te zijn. En dat was precies de reden waarom ik er ook heen wilde, toch? Zodat ik hem kon uit-schelden vanwege alles wat hij me had aangedaan. Zodat hij alles kon uitleggen. Zodat ik kon zien dat het goed met hem ging.

Langzaam richtte ik mijn blik weer op Whittaker. Hij lachte hartelijk om iets wat de rector had gezegd, een leuke, diepe lach die vanuit zijn buik opborrelde. En inderdaad keken er een paar meisje van een afstandje met stralende ogen toe, wachtend tot ze zich op hem konden storten. Thomas zou op dat feest zijn. En de enige manier voor mij om er ook te zijn, was me te laten uitnodigen door Whittaker. Als ik mijn ex wilde zien, moest ik daarvoor mijn stalker gebruiken.

Het lot had een raar gevoel voor humor.

25

De dagen werden snel korter. Als ik na het avondeten had zitten leren in de bibliotheek en terugliep naar Billings, gingen de lantaarns langs de voetpaden al aan. Met het donker trad ook de kou in. Nadat ik dagen achtereen klappertandend was thuisgekomen, had ik eindelijk met tegenzin mijn armoedige, grijswollen jas tevoorschijn gehaald, met de gênant korte mouwen en de vlek van onduidelijke herkomst bij de zoom. Ik had al een paar afkeurende blikken van de vrouwelijke schoolpopulatie te pakken. Nou had ik al lang een keer naar mijn vader moeten bellen, dus dat telefoontje kon ik wel aangrijpen om te bedelen om een postorderjas.

Postorder ja. Mijn klasgenoten liepen rond in Prada en Miu Miu, maar ik moest het doen met kleren van een postorderbedrijf.

Ik negeerde wat tegemoetkomende meisjes die naar me staarden en begonnen te fluisteren op het moment dat ik hen voorbij was. Het viel me niet eens meer op. Als ik het ooit nog eens zou maken in het leven, was dit schooljaar een uitstekende voorbereiding op een bestaan als beroemdheid.

Vlak voor Billings – ik begon mezelf vast moed in te spreken voor de klusjes die mijn 'zusters' nu weer voor me bedacht zouden hebben – zag ik plotseling een donkere gestalte in de schaduw bij de voordeur staan. Een fractie van een seconde dacht ik dat het Thomas was en mijn hart sloeg over. Maar op hetzelfde moment realiseerde ik me dat een gestalte van die afmetingen maar één persoon kon zijn.

'Dag Reed,' zei hij, uit de schaduw stappend.

Ik gaf antwoord op dezelfde serieuze toon: 'Dag Whit.'

'Hoe was het in de bibliotheek?' vroeg hij met een veelzeggend lachje.

Ik besloot niet te vragen hoe hij wist dat ik in de

bibliotheek was geweest. Hij had me vast graag verteld hoe het kwam dat hij altijd precies wist wat ik deed, maar ik vond dat alleen maar pijnlijk. 'Prima. Is er iets?'

Hij stopte zijn handen in zijn jaszakken. 'Nou, ik wil je iets vragen. Of liever gezegd: ik wil je ergens voor uitnodigen.'

Bingo. De Legacy. Sinds het eten gisteravond hadden mijn geweten en mijn hart het met elkaar aan de stok en geen van beide had zich tot nu toe overgegeven. Ik was nog niet op deze vraag voorbereid. Wat moest ik zeggen? Wat moest ik doen? Ergens in Billings was iemand een hysterisch vioolstuk aan het oefenen. Dat maakte het niet gemakkelijker om rustig na te denken.

'Ik vroeg me af of je mij het plezier zou willen doen om vrijdag met me uit eten te gaan,' zei hij.

Hè? Uit eten? Geen introductie voor de Legacy? Hij had Constance toch ook al gevraagd om mee uit eten te gaan? Verveelde hij zich soms?

'Maar we eten toch elke dag samen?' merkte ik op. Er kwam een stevige windvlaag voorbij die zijn doordringende, klassieke aftershave vol mijn neus in blies. Ik hield mijn adem in en probeerde niet te hoesten.

Whittaker grinnikte. 'Nee, niet hier. Buiten de campus. Ik word vrijdag namelijk achttien. Ik heb toestemming om dan ergens te gaan dineren en ik zou het leuk vinden om met jou te gaan.'

Er zaten zo veel haken en ogen aan die uitnodiging dat ik niet wist waar ik moest beginnen.

'Hoe heb je die toestemming gekregen?' zei ik uiteindelijk.

'Dankzij mijn grootmoeder. Ze zit in het bestuur en vindt het niet erg af en toe iets te ritselen,' zei hij trots. 'Ze heeft voor jou ook een pasje geregeld. En er hoeft niemand mee om op ons te letten.'

Op ons letten? Het was nog niet eens bij me opgekomen dat dat nodig zou zijn.

'Maar Whit, hoe moet het dan met de anderen?' vroeg ik.

'Je wilt je achttiende verjaardag toch niet met mij alleen vieren?'

Aan zijn gezicht kon ik zien dat dat nou precies was wat hij wél wilde. Dit ging niet goed. Whittaker nam het blijkbaar allemaal veel serieuzer op dan ik had ingeschat. Hij kon zijn achttiende jaar inluiden door zich in het bos te gaan bedrinken met Dash, Gage en de anderen, maar hij koos ervoor om mij mee te nemen naar een verafgelegen restaurant.

'Zeg nou maar ja, Reed. We kleden ons mooi aan, en dan gaan we met de auto. Ik weet een fantastisch Italiaans restaurantje in Boston...'

'In Boston?' bracht ik uit. Ik was nog nooit in Boston geweest. Ik was nog nooit in een stad geweest, alleen in Philadelphia en dat was één dagje geweest, op excursie.

'Je dacht toch niet dat ik mijn achttiende verjaardag wil vieren in een van de drie restaurants hier in Easton?' vroeg hij ongelovig. Hij pakte mijn hand met twee handen vast en keek diep in mijn ogen. 'Alsjeblieft?'

Zo veel oprechtheid brak mijn hart. Daar stond ik dus. Ik kon nee zeggen en daarmee deze aardige jongen pijn doen en elke kans de grond in boren om bij de Legacy te zijn en daar Thomas te zien. Of ik kon ja zeggen, naar een chic restaurant in Boston gaan, en de hoop houden dat ik Thomas in levende lijve zou ontmoeten.

Eigenlijk was er helemaal geen keus. Mijn geweten dolf het onderspit.

'Oké,' zei ik uiteindelijk, mijn keel droog als schuurpapier. 'Heel graag.'

26

Tandenpoetsen vond ik al mijn hele leven een rustgevende bezigheid. Het was een ideaal moment om de gebeurtenissen van de dag even rustig te overdenken. Om me af te vragen of ik dingen anders had moeten doen en wel of niet had moeten zeggen. En om mezelf een schouderklopje te geven voor wat goed was gegaan. In tegenstelling tot alle andere ouders, moesten die van mij me dwingen om te stoppen met tandenpoetsen. Soms was ik een kwartier of zelfs een halfuur niet aanspreekbaar. Het was een wonder dat er nog glazuur op mijn tanden zat.

Die avond was ik een minuut of twintig bezig, toen plotseling de badkamerdeur achter me open vloog. Ik stikte bijna in een mondvol schuim.

'Hoe gaat het?' vroeg Natasha. Met gekruiste armen over haar omvangrijke boezem leunde ze tegen de deurpost en staarde me via de spiegel boos aan.

Ik boog voorover, spuugde het schuim uit, vulde langzaam een bekertje met water en nam een slok. Ik spoelde een halve minuut en spuugde nog eens. Laat haar maar lekker wachten. Ik had toch niets te melden.

'Prima,' zei ik eindelijk. Ik veegde mijn mond af met een handdoek. 'Ik heb een heerlijke dag gehad. En jij?'

'Je weet best wat ik bedoel,' zei Natasha. 'Heb je al iets gevonden?'

Nou, eens kijken: een jaarvoorraad snoep, bewijs voor een ernstige psychologische aandoening en wat pornofoto's die veel zullen opbrengen op internet. O ja, en een verborgen computer waar je alleen met een wachtwoord in kunt.

Ik vouwde de handdoek op en hing hem aan het rekje naast de wastafel. Toen draaide ik me om en zuchtte geïrriteerd. 'Niets. Helemaal niets.'

Als ik het idee had gehad dat ze me met rust zou laten als ik haar over de laptop vertelde, had ik dat misschien gedaan, maar dat zou waarschijnlijk precies het tegenovergestelde effect hebben. En het was zo al erg genoeg.

'Onmogelijk,' zei ze toen ik langs haar de kamer in liep. 'Je denkt toch niet dat ik geloof dat je na anderhalve week nog steeds niets hebt gevonden?'

Ik ging opgewekt op mijn bed zitten. 'Wat jij gelooft moet je zelf weten. Dat staat in de grondwet.'

Natasha rolde geïrriteerd met haar ogen. Ze duwde haar handen tegen haar voorhoofd alsof ze hoofdpijn van me kreeg. Goed zo. Laat haar maar lekker een flinke migraine krijgen. Dat zou haar leren om mij zomaar te chanteren.

'Wat mankeert jou, Reed?' vroeg ze. 'Heb ik niet duidelijk genoeg gezegd wat er gebeurt als je me niet helpt?'

'Jawel hoor, duidelijker kan niet,' zei ik. 'Het probleem is alleen dat áls ze iets verbergen, ze dat wel erg goed doen. We hebben het wel over Noelle. Denk je echt dat die belastende bewijsstukken laat rondslingeren?'

Natasha moest bij deze woorden wel inbinden. Zelfs zij kon hier niets tegen inbrengen.

'Je moet gewoon geduld hebben,' zei ik. Ik vroeg me af hoe lang iemand zonder enige hackerservaring nodig zou hebben om een wachtwoord te kraken. Ik pakte Beowulf, dat we bij Engels aan het lezen waren – dat wil zeggen, iedereen behalve ik – en leunde tegen de kussens op het bed. 'Ik doe wat ik kan.'

Ik maakte het mezelf gemakkelijk en deed het boek open bij bladzijde een.

'Doe het dan in elk geval wat sneller,' zei Natasha.

Toen deed ze het licht uit voordat ik ook maar één woord had kunnen lezen.

27

Twee ochtenden lang had ik tevergeefs alles wat ik van Ariana wist ingetypt als wachtwoord en nu wist ik het niet meer. Ik had hulp nodig. Ik wist niet waar ik moest beginnen en had iemand nodig om me op ideeën te brengen. Hoe moest ik dat aanpakken zonder dat iemand vragen zou gaan stellen?

Die kwestie hield me bezig toen ik op een regenachtige middag de bibliotheek in liep. Ik had een plan waarvan ik niet verwachtte dat het zou werken, maar het was mijn enige kans. Ik wist dat er voor de derdejaars een fors geschiedenisexamen op komst was, waarvoor de helft van Billings en Ketlar zat te studeren in de bibliotheek. Ik liep rechtstreeks naar het verste einde van de zaal, waar de meisjes uit mijn studentenhuis meestal zaten.

Bingo. Kiran, Taylor, Rose, London, Paris, Josh en Gage zaten allemaal aan dezelfde tafel over hun boeken gebogen. Sommigen maakten aantekeningen, anderen zaten zachtjes met elkaar te overleggen. Aan het eind van de tafel was nog één stoel vrij.

Ik haalde diep adem. Op goed geluk dan maar.

Ik liep naar de tafel en legde met een diepe zucht mijn boeken op tafel. Iedereen keek op, blij met een verzetje.

'Wat is er, Reed?' vroeg Taylor.

'Ach, laat maar. Ik moet alleen een opstel schrijven voor maatschappijleer. Acht pagina's over die hacking-affaire.'

Kiran en Taylor keken elkaar aan. Ze geloofden er niets van. Natuurlijk niet, het was van a tot z verzonnen.

'Bedoel je op die school in New York?' vroeg Josh.

'Daar heb ik iets over gehoord,' zei London opgewonden. 'Iemand had ingebroken in de computers van alle studenten en heeft vervolgens een lijst gepubliceerd met alle verboden websites die ze hadden bezocht. Erg!'

'Die stakkers moesten plotseling hun pornosites missen,' zei Gage. 'Dat is meer dan erg, het is een drama.'

Ik pakte een geprinte pagina uit mijn tas. 'In elk geval krijg ik een miljoen hits. Onbegonnen werk om die allemaal door te nemen. Wisten jullie dat negentig procent van de middelbare scholieren een voor de hand liggend wachtwoord heeft? De naam van hun vriendje of een geboortedatum?'

Iedereen staarde me aan. Acteerde ik zo slecht?

'Zoiets stoms zou ik nooit doen,' zei Gage.

'Nee, jij gebruikt omgedraaide schuttingwoorden,' lachte Josh.

Gage gaf hem een stomp. 'Kop dicht, gast.'

'Veel te gemakkelijk,' zei Rose. Ze sloeg een bladzij van haar geschiedenisboek om. 'Ik gebruik altijd willekeurige lettertekens.'

Nou, daar schoot ik wat mee op. Als Ariana dat ook deed, kon ik het wel vergeten.

'Maar hoe onthoud je je wachtwoord dan?' vroeg Paris.

'Oefenen,' antwoordde Rose. 'Ik herhaal het net zo lang tot ik het weet. Vier, streepje, dollarteken, acht, hoofdletter J, sterretje. Vier, streepje, dollarteken, acht, hoofdletter J, sterretje.'

'Slim, nou kennen we allemaal je wachtwoord!' zei Gage.

Rose werd zo rood als een biet. 'Dat is mijn huidige wachtwoord niet, hoor.'

London wipte zo hard op haar stoel op en neer dat haar oorbellen tegen haar gezicht sloegen. 'Jawel, echt wel! We weten je wachtwoord, we weten je wachtwoord!'

'O ja? Zeg het eens na dan?' zei Rose koeltjes.

London schraapte haar keel, keek naar het plafond en begon: 'Vier, streepje, dinges... A... J...' Iedereen lachte en London zakte terug in haar stoel. 'Verdorie.'

'Maakt niet uit, joh,' zei Paris en gaf haar een klopje op haar rug. 'Rose heeft toch niets interessants op haar computer staan.'

Rose wierp Paris een vernietigende blik toe en dook weer in haar boek.

'Ik gebruik altijd titels van liedjes,' zei Kiran. 'Volgens mij doen heel veel mensen dat. Titels van boeken of films of gedichten... cd's...'

Titels. Dat klonk als iets wat Ariana ook zou kunnen doen. Ik maakte stiekem een aantekening op mijn printje.

'Ik heb ergens gelezen dat heel veel mensen hun wachtwoord opschrijven en ergens in de buurt van hun computer bewaren,' zei Taylor. 'Ze zetten het op een bepaalde dag in hun agenda of zo. Voor het geval ze het vergeten.'

'O ja?' zei ik geïnteresseerd.

'Ja, ik kan dat artikel nog wel voor je vinden als je wilt,' zei Taylor. Ik bewaar altijd alles.'

Ja, dat wist ik. Ze kon natuurlijk ook niet weten dat ik inmiddels zo veel tijd onder haar bed had doorgebracht.

'Maak je maar geen zorgen over dat opstel,' zei Kiran voordat ze weer verderging met leren. 'Meneer Kline is niet zo streng.'

'Hij schijnt alleen de eerste pagina van elk opstel te lezen,' zei Josh.

'Dat is fijn om te horen,' zei ik quasi opgelucht.

Iedereen boog zich weer over zijn boek en ik begreep dat het gesprek was afgelopen. Ik kon hier onmogelijk nog een keer over beginnen zonder mezelf te verraden. Maar ik had nu in elk geval wat aanknopingspunten. Nu nog kijken of ik daarmee verderkwam.

28

Eigenlijk moest ik mijn Frans leren. Eigenlijk moest ik mijn geschiedenisproefwerk voorbereiden. Eigenlijk moest ik Beowulf lezen. Eigenlijk moest ik Kiran vragen of ik een outfit van haar mocht lenen voor het etentje met Whit. Dat moest ik allemaal doen. Maar in plaats daarvan zat ik aan Natasha's bureau op de website van Easton Academy te zoeken naar mogelijke wachtwoorden voor Ariana's computer.

Kiran had me op het idee gebracht om oude nummers van het literaire blaadje Quill op internet te doorzoeken. Als Ariana inderdaad titels als wachtwoord gebruikte, zou het wel eens de titel van een van haar eigen gedichten kunnen zijn. Helaas stonden er in elk nummer van Quill vanaf haar eerste jaar minstens drie en soms wel zeven gedichten. De lijst met titels besloeg al snel een hele pagina van mijn schrift.

Ik sloot zuchtend de pagina van de laatste Quill van vorig jaar en klikte op het meest recente nummer, dat van vorige maand. Ik wist dat Ariana er minstens vijf gedichten in had gepubliceerd. Ik opende de inhoudsopgave en noteerde de titels:

'Transparanten'

'Val zonder einde'

'De ander'

'Vogelverschrikker'

'Mist der tijden'

Ariana was een opgeruimd, zorgeloos meisje, dat bleek maar weer.

Plotseling ging de deur van mijn kamer open, wat mijn bloeddruk tot ongezonde hoogte opjoeg. Dat werd alleen maar erger toen Ariana binnenkwam, direct gevolgd door Noelle en Taylor. Ik sloot haastig mijn schrift en wilde de monitor uitzetten toen ik bedacht dat dat er veel te verdacht zou uitzien. Ze stonden trouwens al achter me. Noelle zette een papieren tas op de grond, waarvan ik liever niet wilde weten wat erin zat.

'O? Dus je gebruikt de computer van Natasha?' zei Noelle. Ze legde haar handen op de rugleuning van mijn stoel, zodat ik naar achteren wipte.

'Ik hoop voor je dat je daar toestemming voor hebt, anders levert ze je uit aan de Gestapo.'

'Zitten we Quill te lezen?' informeerde Ariana achter me. 'Brengt het je op ideetjes?'

Mijn hart stond stil. Ze wist wat ik aan het doen was. Ze was helderziend.

'Ideeën waarvoor?' bracht ik uit.

Er verscheen een grijns op Ariana's gezicht. 'Voor een ro-man, natuurlijk. Ik weet dat je veel leest en ik vroeg me al af of je niet ook zou kunnen schrijven.'

Al het bloed stroomde naar mijn hoofd. 'Aha.' Natuurlijk wist ze niet wat ik aan het doen was. Dat kon ook niet. 'Inder-daad, ik schrijf ook. Ik denk er zelfs over om in de redactie van Quill te gaan.'

Het was dat ik het allemaal uit lijfsbehoud deed, anders zou ik me misschien zorgen gaan maken over het gemak waarmee ik loog.

'Goed idee. Je bent van harte welkom,' zei Ariana met een glimlachje. Ze keek naar Noelle die om de een of andere reden ook stond te grijnzen. 'Wat schrijf je zoal?'

Ik boog naar voren om de laptop dicht te doen, vooral om tijd te winnen. Ik had sinds de basisschool, toen mijn korte verhaal 'Lettervermicelli' door mijn klasgenoten unaniem was afgekraakt, niets creatiefs meer geschreven.

'Vooral eh, essays,' zei ik. 'Maar ik heb er tegenwoordig haast geen tijd meer voor.'

En dat is jullie schuld, klonk er door in die opmerking. Ik ben alleen nog maar bezig met klusjes voor jullie opknappen.

'En je krijgt nóg minder tijd,' zei Noelle tevreden.

De moed zakte me in de schoenen. 'Hoezo?'

'Vanwege de ramen,' zei Taylor. Haar blik was bijna verontschuldigend. 'Het is verschrikkelijk zoals die eruitzien.'

De ramen? Had Easton daar geen huishoudelijke dienst voor? 'Welke ramen?' vroeg ik, hoewel ik het antwoord al wist.

Noelle pakte het schrift uit mijn hand. 'Alle ramen,' zei ze. Ik probeerde het schrift terug te pakken, maar ze gooide het op mijn bed. Toen pakte ze een fles Glassex en een stapel doekjes uit de papieren tas. 'Begin maar met die van mij.'

29

'Het gaat regenen,' zei Ariana de volgende avond met een blik op de voortjagende wolken. 'We moeten opschieten.'

Ik sloeg mijn sjaal om mijn hals en haastte me achter haar aan de trappen van de bibliotheek af. Ik had het afgelopen uur zitten luisteren hoe Ariana en haar collega-redacteuren van Quill de sterke en zwakke punten van de bijdragen aan het komende nummer bespraken. Nadat ik in een moment van paniek had gezegd dat literatuur me interesseerde, had Ariana me uitgenodigd om een keer mee te gaan naar een redactie-vergadering. Luisterend naar het stelletje uitslovers dat elkaars werk afkraakte wist ik genoeg: laat maar.

Desondanks was het aardig dat ze het gevraagd had. Blijk-baar vond ze me goed genoeg om een van haar hobby's mee te delen. Ze kon natuurlijk niet weten dat ik tijdens de verga-dering geen aantekeningen had gemaakt over de gedichten, maar mogelijke wachtwoorden had zitten opschrijven.

Die ochtend, toen ik eigenlijk de vloer had moeten schrobben, was ik in Ariana's kamer op zoek gegaan naar een agenda of opschrijfboekje, in de hoop de theorie van Taylor te kunnen bevestigen, maar ik had niets kunnen vinden. Als Ariana al een agenda had, dan had ze hem waarschijnlijk altijd bij zich. Na deze tegenslag had ik een halfuur lang elke wacht-woord ingetypt dat ik kon bedenken, telkens opschrikkend als de vloer kraakte of als er een vogel tjirpte. Er klopte er geen een, maar daar werd ik alleen maar fanatieker van. Ik had hier nu al zo veel tijd aan besteed, ik moest en zou dat wachtwoord vinden, al was het alleen maar om mezelf te kunnen feliciteren.

Daarom zat ik tijdens de lessen na te denken over moge-lijke wachtwoorden, die ik allemaal opschreef in mijn ver-trouwde schriftje. Als ik zo doorging bleef ik zitten, maar dan wist ik in elk geval of de Billings Girls Leanne Shore inderdaad van school hadden laten trappen. Daarvoor was geen moeite me te veel.

'En? Wat vond je ervan?' vroeg Ariana terwijl we ons langs het pad haastten. 'Vond je het leuk?'

'Het was best interessant,' zei ik neutraal. 'Maar ik weet niet of ik graag de gedichten van andere mensen de grond in wil boren.'

'Hoezo?'

'Nou, het gaat toch om persoonlijke gedachten en emoties. Het is heel wat als je die durft op te schrijven,' zei ik. 'En jullie riepen alleen maar dingen als "bespottelijk" en "doorsnee" en "cliché". Tegen dat ene meisje zei je recht in haar gezicht dat ze geen enkele originele gedachte had.'

'Je hebt gelijk, het valt niet mee,' gaf Ariana hoofdschuddend toe. Ze hield haar schriften stevig tegen haar borst geklemd en kromde haar smalle schouders tegen de wind, haar kin weggedoken achter de boeken. 'Maar als je schrijft en wilt dat mensen het lezen, moet je ook tegen kritiek kunnen.'

'Tja,' zei ik bij de voordeur van Billings. 'Toch kwam het nogal gemeen op me over.'

Ariana hield stil en op dat moment brak een regenbui los. Er landde een dikke druppel midden op mijn voorhoofd.

'Als je er niet tegen kunt, moet je misschien maar niet meer komen,' zei Ariana bot. Ze pakte de deurknop zo stevig vast dat haar knokkels wit werden.

'Ik zei niet dat ik er niet tegen kan,' wierp ik tegen. 'Ik wil alleen…'

Ariana keek me strak aan. 'Nee, je bent niet hard genoeg,' zei ze. 'Dat maakt niet uit, alleen moet je dan ook niet proberen dat wel te lijken. Dat is zonde van je tijd. En van de mijne.'

O? Waar kwam dat opeens vandaan?

Ariana rukte de deur open en ging naar binnen. Ik bleef buiten staan. Waarom sloeg ze zo'n toon tegen me aan? Ze kende me helemaal niet goed genoeg om te weten waar ik wel of niet toe in staat was.

Met toenemende woede liep ik achter haar aan Billings House in. Dit kon ik niet over me heen laten gaan. Eerst de insinuatie dat ik iets met de verdwijning van Thomas te maken had, en nu dit weer. Wat moest ze van me? Ik verwachtte dat ze op weg zou zijn naar boven toen ik de hal binnenkwam, maar er was niemand te zien. Het viel me op dat alle lichten in de gemeenschappelijke huiskamer uit waren. Langzaam deed ik mijn sjaal af terwijl ik verderliep om te kijken wat er aan de hand was. Een stuk of zes banken en stoelen waren bij elkaar voor de breedbeeld-tv gesleept, en daar zaten mijn huisgenoten met chips en frisdrank te kijken naar een film met Orlando Bloom.

Het zag er gezellig uit en na alle stress van de afgelopen dagen leek het me een prima manier om te ontspannen.

'Hoi Reed,' fluisterde Taylor vanaf haar plek op de voorste bank. Kiran wierp een blik over haar schouder en zwaaide naar me. Rose keek glimlachend op.

'Hoi,' antwoordde ik, op zoek naar een plekje.

Ariana ging net op een dik kussen aan de voeten van Noelle zitten. Zonder haar ogen van de tv los te maken trok Noelle een deken van de bank en gaf die aan Ariana. Toen pakte ze een crackertje met kaas en een zwart smeerseltje van een schaal op de tafel naast haar en schoof het in haar mond.

'Wat is hier aan de hand?' vroeg ik.

'Filmavond,' fluisterde Rose. 'Dat doen we een keer per maand.'

'Leuk,' zei ik.

'Maar niet voor jou, nieuwe,' zei Noelle, hardop nu. 'Je moet de ramen nog afmaken.'

Ik knipperde met mijn ogen. 'Daar ben ik al klaar mee.'

'Ja, en er zitten meer strepen op dan mijn moeder highlights heeft,' zei Cheyenne.

'Vooruit,' zei Noelle. 'Als je opschiet kun je misschien de laatste vijf minuten zien. Maar ik denk het niet.'

Allemaal lachten ze, alle vijftien. Vijftien keer vernederd.

Ariana keek me aan met haar mysterieuze blik en grijnsde.

'Neem je mijn tas even mee naar boven, Reed?' Ze stak me haar schoudertas toe. 'En bedankt hè.'

Op dat moment zag ik dat Natasha me een veelzeggende blik toewierp. Ik knikte samenzweerderig naar haar. Dit was het ideale moment om verder te werken aan mijn project. Op naar de computer. Ariana wist niet dat ze me zojuist datgene had gegeven waarmee ik misschien eindelijk haar wachtwoord kon kraken. Haar tas. Met haar agenda.

Dus ze dacht dat ik bepaalde dingen niet aankon? Dat zouden we nog wel eens zien.

30

Een uur later zat ik met droge ogen, een stijve nek en een op-
komende hoofdpijn gebogen over Ariana's agenda. Elke twee
minuten keek ik op mijn horloge. Hoe lang zou het nog duren
voordat Orlando de heldin in zijn armen kon sluiten? Had ik
nog een kwartier? Een uur?

'Opschieten nou, Reed,' siste ik tegen mezelf terwijl ik
mijn vingers losschudde.

Ik sloeg de volgende pagina om. Taylors theorie bleek
zowel een zegening als een vloek. Eerst had ik gewoon bij
Ariana's verjaardag willen kijken om te zien of daar iets stond,
maar toen realiseerde ik me dat ik geen idee had wanneer
Ariana's verjaardag was. Daarom bekeek ik nu alle pagina's een
voor een, in de veronderstelling dat speciale dagen wel zouden
opvallen. Dat er 'papa jarig' zou staan. Of 'trouwdag ouders'.

Ik zat ernaast. Uit Ariana's agenda bleek niets, behalve
dat ze altijd zat te krabbelen. Op elke denkbare plek stonden
fragmenten en titels van gedichten. Het werd me niet duidelijk
welke data speciaal waren. Ik was al een uur bezig om elk
woord dat ik vond in te typen.

Nog even en mijn knokkels zouden gaan opzetten.
Jeugdreuma, dat was alles wat dit gedoe me zou opleveren.

Ik haalde diep adem. Nog even doorzetten, en dan zou ik
ermee kappen om nog even snel een doekje te halen over de
ramen van Noelle en Ariana, die er in mijn ogen behoorlijk
streeploos uitzagen. Zo zouden ze in elk geval denken dat ik
deed wat ze zeiden.

Ik was bij april. Op vijf april stond één enkel woord, elas-
tiekje, dat ik intypte.

E-L-A-S-T-I-E-K-J-E. Enter.

Ongeldig wachtwoord, antwoordde de computer.

Oké, volgende. Gemept. G-E-M-E-P-T. Enter.

Ongeldig wachtwoord.

Grommend bladerde ik door de agenda, tot mijn oog viel op de laatste dag van april. In grote rode letters stond daar 'naar huis'. En daaronder, in veel kleinere letters, de titel van een van haar recente gedichten 'De ander'. Degene die vorige maand in Quill had gestaan.

Ik haalde diep adem en typte met trillende vingers D-E spatie A-N-D-E-R in. Enter.

Ongeldig wachtwoord. Mijn hart klopte in mijn keel toen ergens vlakbij een deur dichtsloeg. Ik klapte de computer dicht en wilde hem net wegbergen toen ik als verstijfd bleef zitten luisteren. Voetstappen. Er kwamen voetstappen dichterbij...

O nee... Haastig propte ik alles terug op zijn plek, waarbij ik bijna de computer liet vallen. Dat ging nooit op tijd lukken...

De voetstappen gingen voorbij, naar beneden. Ik zat op mijn billen op de grond en haalde adem, trillend over mijn hele lichaam. Ik moest ophouden. Ophouden en morgen doorgaan. Maar wanneer zou ik ooit weer zo'n kans krijgen?

Langzaam deed ik de computer weer open. Nog even dit laatste woord en dan stopte ik.

Oké. DEANDER, als één woord. D-E-A-N-D-E-R. Enter.

Mijn hart stond stil toen er een bliepje klonk. De computer begon te snorren, het scherm werd zwart en toen verschenen er een achtergrond met een blauwe lucht en de mooiste woorden die ik ooit op een computerscherm had gezien: Welkom Ariana!

Halleluja, ik zat erin. Het was gelukt. Ik had wel willen opstaan en schreeuwen en een rondedansje willen doen, maar dat was misschien niet zo'n goed idee met die krakende oude vloeren hier en vijftien meisjes onder me die met ingehouden adem naar Orlando zaten te kijken.

Diep ademhalen, Reed. Ik rommelde in mijn tas en haalde de USB-stick tevoorschijn die ik had meegenomen voor het geval ik iets zou vinden dat het kopiëren waard was. Ik duwde hem in de gleuf aan de zijkant en probeerde mijn hart tot bedaren te brengen. Als het zo bleef bonken zouden ze het beneden nog horen, en ik wilde op dit cruciale moment niet betrapt worden.

Op het bureaublad van Ariana stonden verschillende mapjes met een jaartal, waarvan ik de meest recente openklikte. Word-documenten. Gedichten. Honderden gedichten. Sommige titels herkende ik uit *Quill*, maar de meeste niet. Kon een van deze documenten belastende informatie bevatten? Bevatte een van deze 'gedichten' tegen Leanne gerichte beschuldigingen waaruit bleek dat Ariana haar kwaad had willen doen? Wie zou het zeggen. Ik werd misselijk van wanhoop. Waar haalde ik de tijd vandaan om meer dan honderd gedichten te lezen?

Ik scrollde op goed geluk naar beneden. Helemaal onderaan stond een mapje met de naam 'projecten'.

Dit zou iets kunnen zijn. Ik klikte erop en er verschenen nog meer Word-documenten met initialen als naam. EP, CS, IP, NL, TL, MSN, en toen LS.

LS. Leanne Shore.

Mijn gedachten stopten. Dit was wat ik zocht. Een document over Leanne. Ik slikte moeizaam en opende het mapje. Er kwam een Word-document tevoorschijn dat het scherm vulde. Bovenaan stond LATIJN en daaronder AANTEKENINGEN VANAF 8/5. Ik zakte in elkaar en moest haast lachen. Blijkbaar had Ariana deze zomer bijles Latijn gehad.

Dit had niets te maken met Leanne.

Ik haalde diep adem, sloot het document en luisterde of ik voetstappen hoorde. Niets. Blijkbaar was Orlando nog steeds bezig. Ik besloot voor de zekerheid ook de andere documenten met een initiaal te bekijken. Ik opende EP. Het was een lijst met vrouwennamen met daarachter 'ja' of 'nee' en een getal onderaan. Misschien had Ariana haar moeder geholpen om een feestje te organiseren en waren dit de mensen die hadden gereageerd op de uitnodiging of zo. Toen naar CS. Ik dubbelklikte en hield mijn adem in.

As I Lay Dying, Faulkner, 1930.

Their Eyes whereWatching God, Hurston, 1937.

Invisible Man, Ellison, 1947.

Het was een spiekbriefje. Een lijst in piepkleine lettertjes in een vierkantje van zo'n vier bij zeven centimeter. En aan de informatie te zien was het een spiekbriefje voor het eindexamen Engels. Het examen waarbij Leanne had gefraudeerd. En wat was er voor belastend materiaal bij haar gevonden? Spiekbriefjes.

Als dit dezelfde briefjes waren als die van Leanne, was het dus waar. Dan had Natasha gelijk. Dan hadden Noelle en haar vriendinnen Leanne er inderdaad ingeluisd. Dan was ze dankzij hen van school getrapt. Maar waarom? Omdat ze klef was en Noelle irriteerde? Was dat een reden om zo in iemands leven in te grijpen?

Op zoek naar meer informatie klikte ik op het mapje MSN. Inderdaad verscheen er een document vol gekopieerde berichtjes op het scherm, vooral van Ariana en Noelle. Mijn ogen vlogen over de bovenste berichten, die allemaal nogal onbenullig waren. Het ging vooral over huiswerk en feestjes, niets bijzonders.

Tot ik mijn eigen naam zag en me de adem ontnomen werd.

*Ariana zegt: dus we gaan het doen

Noelle—1 zegt: ZEKER WETEN. Het wordt Reed, toch?

Ariana zegt: ja. lattimer doet mee. kiran heeft haar een gratis pasje voor manolo gegeven als ze haar mond houdt.

Noelle—1 zegt: PRIMA! Lattimer is een doetje. Is alles klaar? Heb je de spiekbriefjes?

Ariana zegt: yes. zeg maar waar en wanneer.

Noelle—1 zegt: MORGEN. Dit weekend zit Reed erin. En L gaat eruit. Eindelijk!

Ariana zegt: wat ben je toch slecht!

Noelle—1 zegt: En wat voelt dat GOED...

Als het complete studentenhuis op dat moment was binnenge-komen had ik nog geen vin kunnen verroeren.

Ze hadden het voor mij gedaan, om plaats te maken in Billings voor mij. Het was allemaal vanwege mij gebeurd.

Een krakende traptrede onderbrak mijn gedachten. Ik had nu geen tijd om daarover na te denken. Snel kopieerde ik de documenten naar mijn USB-stick, voor het geval er nog meer dingen op stonden die het lezen waard waren. Toen stak ik de stick in mijn achterzak, sloot de computer af en borg alles weer op zoals ik het gevonden had. Ik deed net de hutkoffer weer dicht toen ik beneden stemmen hoorde. De film was blijkbaar afgelopen. Ik duwde de koffer achter in de kast, deed de deuren dicht, greep mijn spullen bij elkaar en vluchtte weg.

Ik wist dat iedereen via de trap aan de voorkant naar boven zou komen, daarom ging ik naar het trappenhuis aan de ach-terkant. Eenmaal daar liet ik me op de trap zakken en wachtte tot ik weer op adem was gekomen.

Ze hadden Leanne er vanwege mij ingeluisd. Het was mijn schuld dat Leanne van school was gezet. Mijn fout dat Natasha zo van streek was dat ze mensen ging afpersen en bespioneren. Allemaal vanwege mij. Zodat ik hier kon komen wonen en een Billings Girl kon worden.

Het was ziekmakend, smerig en intens gemeen. Maar ze hadden het wel voor mij gedaan. Nog nooit had iemand zoiets voor mij over gehad. Ze hadden hun eigen toekomst geriskeerd om me Billings binnen te krijgen en mijn toekomst veilig te stellen.

Hoe erg ik het ook vond, ik was tegelijkertijd ontroerd.

En wat was mijn dank geweest? Ik had in hun kamers rondgesnuffeld en hun meest beschamende geheimen bloot-gelegd. Even was ik ziek van schaamte. Ik had mijn vriendin-nen verraden.

Maar er was nog één vraag onbeantwoord: waaróm waren ze eigenlijk mijn vriendinnen? Waarom hadden ze me binnen-gehaald bij Billings? Wat hadden ze daaraan? Waarom wilden ze me erbij hebben? Om me rond te commanderen? Dat leek me niet logisch. Ik kon er geen touw aan vastknopen.

Toen ik pal boven me een deur hoorde dichtslaan, stond ik op en rende de trap met twee treden tegelijk af. Ik moest terug naar mijn kamer. Nadenken. Ik had het bewijs nu in handen. Ik had wat Natasha nodig had. De vraag was nu: zou ik het haar in handen spelen?

31

Toen Natasha de volgende ochtend onder de douche stond, trok ik haastig een broek en een trui aan, bond mijn haar in een staartje en glipte naar buiten, zo stil als menselijkerwijs mogelijk was. Ik was vroeg opgestaan en had alle ramen op de eerste verdieping al opnieuw gelapt, zodat ik niet in de kamer zou zijn wanneer haar wekker ging. Dit was de ideale gelegenheid om ertussenuit te knijpen voordat ze kon vragen of ik al iets had gevonden en voordat de andere meisjes nieuwe karweitjes voor me konden verzinnen.

Het was een kille, bewolkte morgen en ik dook diep in mijn jas weg terwijl ik snel het nummer van Thomas' kamer belde. Met de telefoon tegen mijn oor en mijn rugzak over mijn schouder haastte ik me bij Billings vandaan. Op de campus heerste een doodse stilte. Mijn adem vormde wolkjes in de koude morgenlucht. De goudsbloemen langs het pad naar Billings bogen onder het gewicht van de ijzel op hun bloemblaadjes. Met één stramme hand probeerde ik mijn knopen dicht te maken. Toen de telefoon vijf keer was overgegaan nam Josh op.

'Ja?' klonk het slaperig.

'Hé, Josh, sorry dat ik je wakker maak.'

'Met wie spreek ik?'

'Reed,' zei ik. Plotseling kreeg ik het gevoel dat iemand me in de gaten hield. Ik stopte even op het punt waar het pad naar de meisjeshuizen en dat naar de bibliotheek elkaar kruisten en keek om me heen. Het grasveld was volledig verlaten, afgezien van een eekhoorn die onder een van de banken scharrelde.

'Reed? Wat is er aan de hand?' vroeg hij. 'Heb je iets van Thomas gehoord?'

Ik kromp ineen bij het horen van zijn naam. 'Nee. Maar ik moet iets met je bespreken. Kun je over een kwartiertje in de kantine zijn?'

'Eh, ja. Ik kom eraan.'

'Bedankt.'

Toen ik ophing ging er plotseling een koude rilling over mijn rug. Ik draaide me met een ruk om en ontdekte tot mijn schrik inspecteur Hauer, die vlak achter me stond. Met gefronste wenkbrauwen en een opwaaiende zwarte regenjas kwam hij dichterbij.

'Hoe is het met u, mevrouw Brennan?' informeerde hij.

Ik verslikte me en sloeg met mijn vrije hand op mijn borst om het hoesten te stoppen. Mevrouw Brennan. Hij wist dus nog hoe ik heette. In de afgelopen twee weken had hij ongeveer vijfhonderd leerlingen aan zich voorbij zien trekken, maar mijn naam herinnerde hij zich. Dat was vast geen goed teken.

'Goed,' zei ik 'Goed. U maakt me aan het schrikken.'

'Dat spijt me,' antwoordde hij, hoewel hij er niet zo uitzag. 'Ik hou ervan om een ochtendwandelingetje te maken. Daar krijg ik een helder hoofd van.'

Hij keek alsof hij een antwoord verwachtte, dus zei ik: 'Dat is eh… fijn.'

'En u?' zei hij.

'Hoe bedoelt u?'

'Wat doet u hier zo vroeg?' vroeg hij. 'Ik geef toe dat het een tijd geleden is, maar ik meen me te herinneren dat ik het liefst zo lang mogelijk in bed lag toen ik jong was.'

Ik stak verontschuldigend mijn handen op. 'Tja, ik doe de dingen net even anders dan anderen,' zei ik lachend. Waarom voerde ik een toneelstukje voor hem op? Ik werd zo gestresst van die man.

Hij blies op zijn handen en wreef ze tegen elkaar. 'Wie had je aan de lijn?' vroeg hij met een blik op mijn telefoon.

'O, dat was eh…' er was niet echt een reden om hierover te liegen. 'Josh. Josh Hollis. We gaan samen ontbijten.'

'De kamergenoot van Thomas Pearson?' vroeg hij met zijn borstelige wenkbrauwen opgetrokken. 'Die Josh Hollis?'

Waarom liet hij het nou weer zo verdacht klinken? Waarom zou ik niet mogen ontbijten met Josh?

Ik haalde mijn schouders op. 'Dat is de enige Josh Hollis die ik ken.' Ik keek nadrukkelijk op mijn horloge. 'Ik moet nu echt gaan, anders kom ik te laat. Een fijne wandeling gewenst.'

Hij kneep zijn ogen samen en knikte. 'En u een smakelijk ontbijt gewenst.'

'Dank u.' Ik deed mijn best om nonchalant te klinken. Niet dat dat lukte. Ik had het gevoel dat hij me met zijn ogen volgde, de hele weg over het middenplein. Ik moest moeite doen om me niet om te draaien en te kijken of dat inderdaad zo was. Toen ik eindelijk bij de kantine kwam, zwetend van de haast en de zenuwen, hield ik het niet meer uit. Ik stopte en deed of ik iets in mijn tas zocht. Ondertussen gluurde ik vanuit mijn ooghoeken naar het plein. Daar stond inspecteur Hauer, eenzaam, midden op de campus. Zijn blik op mij gericht.

32

Voor de eerste keer in dagen hoefde ik lekker alleen mijn eigen ontbijt te halen. Ik wist wel dat ik straks opnieuw in de rij zou moeten voor de bestelling van de Billings Girls, maar nu kon ik nog even genieten van mijn vrijheid. Dat verdiende ik wel na alles wat ik vanochtend al had meegemaakt.

Met gebakken spek, toast met pindakaas en een bakje zoete ontbijtgranen stapte ik even later uit de rij en liep naar onze vaste tafel. Ik begon met de toast in de hoop mijn wankele maag tot rust te brengen voordat ik aan suiker en vet begon. Het was nog zo leeg in de kille kantine, dat ik stofdeeltjes kon zien dansen in het licht dat door de plafondraampjes naar binnen kwam. Ik zag hoe Josh binnenkwam, op weg ging naar het buffet en even later met koffie en drie donuts aanschoof.

'Nou, vertel het maar,' zei hij terwijl hij tegenover me ging zitten. Hij hapte in een kaneeldonut waarbij bruin poeder alle kanten op dwarrelde. Zijn krullen zaten aan een kant plat tegen zijn hoofd en stonden aan de andere kant omhoog, zag ik. Tot een paar minuten geleden had hij natuurlijk warm opgekruld in zijn bed gelegen. Voor mij had hij zich losgerukt uit zijn sluimer.

'Oké, hypothetisch gesproken…'

Josh liet de donut vallen en leunde met zijn ellebogen op tafel. 'Heerlijk woord, hypothetisch,' zei hij.

Ik lachte. 'Hypothetisch gesproken dus,' herhaalde ik speciaal voor hem. 'Stel dat je erachter kwam dat een van de jongens in jouw studentenhuis de erecode had gebroken… zou je hem dan aangeven?'

Josh trok zijn wenkbrauwen op, keek omlaag naar zijn bord en blies zijn adem uit.

'Ik weet wel dat je dat officieel moet doen, maar zou je het ook écht doen?' vroeg ik.

Josh knikte en keek weer op. 'Ja, absoluut.'

'Echt?'

De dubbele deuren sprongen open en een groep leerlingen liep de kantine in. We zouden niet lang alleen blijven.

'Ja, geen twijfel mogelijk,' zei Josh. Hij nam een slokje koffie. 'Je hebt het contract ondertekend. Dat hebben we allemaal gedaan. En het is vast niet stoer om dit te zeggen, maar voor mij betekent dat wel iets. Als je belooft iets te doen, moet je daar niet op terugkomen. Trouwens, het is ook het beste wat je kunt doen. Als iemand iets verkeerds doet, moet je hem ter verantwoording roepen. Klaar.'

Verdorie. Hij nam dat hypothetisch veel te serieus. Ik voelde me om de een of andere reden ongemakkelijk bij zijn overtuiging. Ik legde mijn toast terug op mijn bord en duwde mijn blad weg.

'En wat vind je nou echt?' vroeg ik luchtig, in een poging mezelf op te beuren.

'Alsof dat er iets toe doet,' hoorden we naast ons.

Geschrokken keken we op. Whittaker stond aan het eind van de tafel. Waar kwam die vandaan?

'Maar dat is niet beledigend bedoeld,' zei hij tegen Josh.

'Ik beschouw het ook niet als zodanig,' zei Josh plechtig. Hij trok zijn stoel naar voren tot hij klem zat tegen de tafel, zodat Whittaker achter hem langs kon. Whit trok de stoel naast Josh naar achteren en ging zitten. Hij nam een flinke slok van zijn grapefruitsap en smakte met zijn lippen.

'Het was niet mijn bedoeling om jullie af te luisteren, maar ik ving toevallig iets op,' begon Whittaker. Als een welopgevoede jongen liet hij zijn polsen op de rand van de tafel rusten. 'Reed, als er inderdaad iemand in Billings is die heeft gefraudeerd... kun je die onder geen enkel beding aangeven.'

'Wat?' bracht Josh uit.

'Jouw mening is nogal naïef,' zei Whittaker terwijl hij zijn vork pakte en ermee in zijn gebakken ei prikte. 'Om niet te zeggen hypocriet.'

Josh schoof wat naar achteren en kruiste zijn armen over zijn borst.

'Zó! Uitgescholden worden voor hypocriet nog vóór de ochtenddienst. Dat heb ik nog niet eerder meegemaakt.'

'Maar het is wel waar,' zei Whittaker. 'Je zit hier nou wel te beweren dat je mensen die iets verkeerds doen altijd ter verantwoording moet roepen, maar heb jij je kamergenoot er ooit op aangesproken dat hij een drugsdealer was?'

Ik had het gevoel dat er plotseling een poolwind door de kantine blies. Ik kreeg overal kippenvel en het gezicht van Josh werd bleek.

'Daar heb jij niets mee te maken,' zei hij.

'Wel als jij mijn vriendin loze praatjes verkoopt,' antwoordde Whittaker.

Tevreden dat hij Josh de mond had gesnoerd keek Whittaker mij vervolgens recht aan.

'Je moet de meisjes van Billings niet tegen je in het harnas jagen, Reed,' zei hij. 'Geloof me. Niet als je na je examen ook nog een leven wilt opbouwen. Dat is de realiteit.'

Ik slikte moeizaam en keek Josh aan. Die keek geïrriteerd, maar zei niets. Het drong tot me door dat Whittaker precies de reden noemde waarom het idealisme van Josh me dwarszat. Vanaf de eerste dag dat ik op Easton was, had ik alleen maar gehoord dat de Billings Girls zo'n prachtige toekomst voor zich hadden. Het draaide allemaal om connecties. Met connecties kwam je overal. Zou ik mijn connecties met Billings voorgoed kwijt zijn als ik Noelle en de anderen aangaf? Zou dan alles wat ik had gewonnen door hier te komen wonen automatisch teniet zijn gedaan?

'Ik zie aan je ogen dat je vindt dat ik gelijk heb,' zei Whittaker arrogant.

Josh schoof achteruit. 'Sorry, maar ik word plotseling een beetje misselijk.'

Hij graaide een van de overgebleven donuts van zijn bord en stormde naar buiten.

Whittaker haalde diep adem en schudde zijn hoofd. 'Hij komt er nog wel achter,' zei hij. 'Ooit.'

Ik keek toe hoe Whittaker een hap ei in zijn mond schoof en plotseling stond die aanblik me tegen. Hij mocht dan in een bepaald opzicht gelijk hebben, maar er was iets aan zijn alwetende houding wat me enorm tegenstond. Had hij de wijsheid soms in pacht?

'Nu we toch onder ons zijn…' zei Whittaker. Hij stond op en ging op de stoel zitten tegenover me zitten, waar Josh net had gezeten. 'Ik wil nog even zeggen dat alles voor vrijdag geregeld is. Om zes uur pik ik je op het plein op. Dan komen we ruim op tijd in Boston aan. Ik kijk er echt naar uit, Reed.'

Zijn blik maakte me haast misselijk van weerzin. Er sprak overduidelijk verlangen uit zijn ogen. Hij dacht dat dit af-spraakje net zo zou eindigen als die avond in het bos.

Nou ja, zonder het overgeven dan.

'En jij?' vroeg hij.

Je doet het voor Thomas. Je doet het om Thomas te zien op de Legacy.

'Best wel,' zei ik zwakjes.

Hij pakte mijn hand in zijn beide grote, onhandige ko-lenschoppen en plotseling moest ik denken aan twee andere handen. Smalle, maar sterke handen. Zelfverzekerd en teder. Handen die met hun aanraking een warm verlangen door me heen joegen.

Links van me wierpen derdejaars meisjes me afgunstige blikken toe. Iedereen wist wat Whittakers gebaar betekende: dat ik weer een stap dichter bij het begeerde introductiekaartje was. En dat de rest een stap dichter bij een eenzame Hallo-ween-avond was.

'Misschien kunnen we na het eten nog ergens heen,' zei Whittaker, licht blozend. 'Ergens waar we niet gestoord wor-den.'

Zijn duim duwde tegen mijn handpalm. Met afschuw trok ik mijn hand terug. Ik kon dit niet. Ik kon niet zo lang met deze jongen in een auto zitten, angstig wachtend tot hij de stap zou wagen en ik zijn lippen op de mijne zou voelen. Hij was een aardige jongen, een onhandige, hoopvolle, aardige jongen die ook maar wat probeerde, dat zag ik ook wel. Maar hij probeerde het met het verkeerde meisje.

'Is er iets?' vroeg hij.

'Nee hoor, niets.' Ik stond op. 'Ik bedacht alleen net dat mijn geschiedenisboek nog op mijn kamer ligt en dat eh... heb ik nodig. Ik ga het even halen.'

Whittaker stond ook op, galant als altijd. 'Oké. Zie ik je nog?'

'Ja hoor. Vast wel.'

Maar terwijl ik me naar buiten haastte, het zonlicht in, was ik al bezig een plan te bedenken. Er moest een manier zijn om zonder Whittaker bij de Legacy binnen te komen. Maar welke?

33

Die avond bleef ik staan voor de kamer van Noelle en Ariana. Ik had stemmen gehoord en was in een reflex gestopt om te luisteren. Nu ik de omvang van hun geheim kende, wilde ik dolgraag meer weten, maar ik kon niets opmaken uit het gemompel en gelach. Bovendien bedacht ik dat ik eigenlijk kwam om een gunst te vragen. Met afluisteren zou ik me waarschijnlijk niet populair maken. Ik ging rechtop staan, vermande me en klopte aan.

'*Entrez!*' riep Noelle.

Binnen was het licht gedempt. Overal stonden brandende kaarsen, die de lucht vulden met een kruidige geur. Noelle, Ariana, Kiran en Taylor zaten in pyjama en kamerjas in een kring. Taylor had een van de bureaustoelen naast Ariana's bed gezet en de anderen zaten op het matras. Kiran vulde net Ariana's wijnglas.

'Reed, wat leuk je te zien!' zong Noelle. 'Kom erbij, pak een glas! We spelen "wat ik nooit heb gedaan, maar jij wel".' Wat ik nooit heb gedaan? Hadden ze niets beters aan hun hoofd? Het was een doordeweekse avond, moesten ze niet studeren of werkstukken schrijven of plannen maken om iemand van school te laten verwijderen?

Achter me voelde ik de aanwezigheid van de hutkoffer en de laptop in Ariana's kast, alsof ze radioactief waren en me lichtgevend uitlachten om wat ik gedaan had. Om wat ik wist.

'Ik zou nooit… dronken worden en de piloot van mijn vader overhalen om naar Rome te vliegen zodat ik echte pasta kon eten!' riep Taylor.

Noelle juichte aanmoedigend.

Kiran dronk in één teug haar wijnglas halfleeg. 'We hoeven niet in detail te treden, toch?' zei ze.

Haar vader had een piloot. Een piloot die op verzoek naar Rome vloog.

'En jij Reed, wat zou jij nooit doen?' vroeg Noelle uitgelaten.

'Ik wil eigenlijk even iets met jullie bespreken,' antwoordde ik.

'Eerst zeggen wat jij nog nooit hebt gedaan,' zei Ariana met glimmende ogen.

Bah, ik hield er niet van zo overvallen te worden. Ik zocht koortsachtig naar iets wat niet al te suf zou klinken.

'Ik heb nooit… seks gehad in een auto,' zei ik uiteindelijk.

Noelle lachte en dronk haar glas leeg, net als Kiran en Taylor. Ariana zei niets.

'Echt waar?' vroeg Kiran verbijsterd. 'Zelfs niet in een limo? Dat kan anders heel comfortabel zijn.'

'We moeten je voortaan maar "nonnetje" gaan noemen,' stelde Noelle voor.

Ariana zuchtte alleen maar, alsof dit allemaal te banaal was, en zette haar glas weg. 'Wat is er, Reed?'

'Niks. Nou ja… de Legacy.'

De vier wisselden een blik. 'Pak een stoel,' zei Kiran, die naar de fles reikte.

Ik liep naar de bureaustoel van Noelle, trok er een stuk of tien truien van kasjmier, zijde en angorawol af en zette hem in de kring. Allemaal keken ze me afwachtend aan.

'Wat is er aan de hand?' vroeg Noelle. Ze sloeg haar benen over elkaar en leunde naar voren als een geïnteresseerde talkshowpresentatrice, al had ik nog nooit een presentatrice gezien die zat te drinken voor een volle zaal. 'Heeft Whittaker je nog niet gevraagd, dan?'

'Nee, nog niet. Maar daar gaat het niet om,' zei ik. 'Dat gaat hij vast nog wel doen, maar…'

'Je bent aardig zeker van je zaak,' zei Kiran. Ze nam een slok wijn. Ik deed of ik die opmerking niet gehoord had.

'Alleen… ik wil liever niet met hem gaan,' zei ik. 'Kan een van jullie me niet introduceren?' Ik keek naar Noelle.

Ze barstte in een spottende lach uit, ging rechtop zitten en gooide met een beweging van haar hoofd haar dikke, donkere haar over haar schouder. 'Je begrijpt er ook niets van, Reed. Zelfs wij kunnen niet zonder hulp binnenkomen.'

Ik staarde haar ongelovig aan. Konden de Billings Girls niet zonder hulp naar binnen? Hoe was dat in hemelsnaam mogelijk? Ik kon me niet voorstellen dat zij ooit ergens buitengesloten zouden worden.

'Echt waar?' zei ik uiteindelijk.

Noelle en Ariana lachten, Kiran plukte aan een nagelriem en Taylor staarde alleen maar in haar wijnglas.

'Je hebt toch gehoord wat ik pas zei? Die mensen willen per se dat het een exclusief feest blijft. Ik ben de enige in Billings die een introducé mag meenemen.'

'En Cheyenne,' zei Taylor.

'O ja, Cheyenne. Zuivere Amerikaanse adel,' zei Noelle. 'Ik vergeet haar altijd om de een of andere reden.'

De anderen grinnikten alsof ze precies wisten wat die reden was. Alweer een grap die langs me heen ging. Maar ik moest me nu even concentreren op de huidige noodsituatie.

'Dus jullie kunnen geen van allen een introducé meenemen?' vroeg ik.

'Ja, ik wel,' zei Noelle achteroverleunend. 'Ik neem Dash mee.'

'Heeft Dash geen uitnodiging?' vroeg ik. Uitgerekend hij had me zo neerbuigend de les gelezen.

'Nee zeg,' zei Noelle. 'Hij is pas tweede generatie. Zijn opa zat op een zwarte school in een achterstandswijk of zo.'

'Maar die was wel miljonair op zijn tweeëntwintigste,' voegde Kiran eraan toe. 'Onroerend goed.'

'Van krantenjongen tot miljonair. Je moet hem er maar eens naar vragen,' zei Noelle vals.

'En wie neemt Cheyenne mee?' vroeg ik, hoewel ik zeker wist dat zij nooit ook maar aan mij zou dénken.

'Haar vriendje uit Boston,' antwoordde Kiran. 'Hoe heet hij ook alweer? Dufhoofd? Domkop?'

'Dougray,' zei Ariana met een bekakt accent.

'Is er nog iemand anders met een introductiekaartje?' vroeg ik hoopvol.

'Alleen Gage. En hij neemt Kiran mee,' zei Ariana.

'Ja. Ik ben de introducé van Gage Coolidge. Wat een heerlijk idee,' zei Kiran cynisch.

Noelle nam een slok van haar wijn. 'Je bent dan ook een parvenu,' zei ze. Toen ze mijn verbaasde blik zag, zette ze haar hand naast haar mond en fluisterde op luide toon: 'Eerste generatie. Maar dat ben jij natuurlijk ook,' voegde ze er liefjes aan toe.

'Sorry, Reed, we kunnen niets voor je doen,' zei Ariana.

'Daarom hebben we geprobeerd je aan Whit te koppelen,' zei Noelle. 'Hij is je enige kans.'

'Hè? Maar jij hebt dus ook geen eigen uitnodiging? Terwijl je een supermodel bent?' zei ik.

Kiran lachte honend. 'Schat, zelfs Scarlett Johansson komt er niet in zonder uitnodiging van Whittaker.' Ze dronk haar glas leeg en zoog haar wangen naar binnen toen ze de wijn doorslikte. Ze wierp me een veelzeggende blik toe: jij bent degene die naar dat feest wilt. Zorg dan maar dat je het niet verpest.

Noelle stond op en boog zich voorover zodat haar ogen een paar centimeter van de mijne verwijderd waren. Ik wilde haar niet recht aankijken, maar toen ik mijn blik afwendde, staarde ik tot mijn onuitsprekelijke gêne recht in haar zijden nachthemd. Toch maar oogcontact, dus.

'Reed, wanneer begrijp je nou eens dat wij voor alles wat we doen een reden hebben?' zei ze met haar hand op mijn schouder. 'We hebben je aan Whittaker gekoppeld, zodat je naar de Legacy kunt. We willen niet zonder jou gaan.'

Ik voelde me plotseling warm worden vanbinnen.

'We gaan sowieso, maar liever met jou erbij,' giechelde Kiran.

Noelle ging weer rechtop staan. Toen liep ze naar het

raam, staarde over het plein, nam een trage slok uit haar glas en draaide zich naar me om.

'Dus wat gaat het worden?'

Noelle wilde dat ik meeging. Thomas zou er zijn. En inmiddels snakte ik er ook naar om te weten wat die Legacy precies was. Ik was ook maar een mens. Een feest waar zelfs een megababe als Kiran niet zomaar in kwam moest wel heftig zijn. Vet heftig.

Ik haalde diep adem en wendde me tot Kiran. 'Kan ik wat kleren van je lenen voor vrijdagavond? Ik heb een afspraakje. Met Whittaker.'

34

Mevrouw Lattimer liep die vrijdagavond met me mee het plein over, naar de rotonde. Haar hakken klikten gehaast, hoewel we heel langzaam liepen. Blijkbaar stond ik op de campus onder toezicht, maar was buiten de campus de aanwezigheid van Whittaker voldoende. Misschien moest Lattimer ervoor zorgen dat ik echt met Whit wegging en niet stiekem een bus naar Montreal zou nemen om daar te gaan feesten.

Het goede nieuws was dat ik er in de kleren van Kiran fantastisch uitzag, dat moest zelfs ik toegeven. Ik droeg een chic zwart halterjurkje van Calvin Klein dat tot net boven de knie kwam. Dunne bandjes sloten achter in mijn hals, wat mijn schouders accentueerde, die waren bepoederd voor een 'sexy glans'. Over de jurk droeg ik een jasje van goudbrokaat – een originele Chanel – en ik had de diamanten oorbellen van Whittaker in. Kiran had erop aangedrongen dat ik mijn haar zou opsteken en toen ik moest bekennen dat ik alleen een paardenstaart en een vlecht kon maken, was ze mopperend een uur bezig geweest om mijn haar op te steken in een sexy, nonchalante knot. Een paar zwarte Manolo Blahniks met bandjes maakten het af. Ik kon zo een modeshow lopen.

Helaas voelde ik me of ik op weg was naar het schavot.

'Dat u vanavond weg mag is een heel bijzonder voorrecht, mevrouw Brennan,' zei mevrouw Lattimer terwijl we langs Bradwell liepen, dat uitkeek op de rotonde. Ze hield haar omhooggeslagen kraag stevig vast bij haar kin, tegen de kou. 'Mevrouw Whittaker doet zoiets niet zomaar voor iedereen.'

Ik keek naar haar vanuit mijn ooghoeken. Ik had moeite haar serieus te nemen na wat ik over haar had gelezen in het MSN-bericht van Ariana en Noelle. Hier liep een vrouw die zich had laten omkopen met een dagje shoppen. Omkopen zodat een stelletje te rijke meisjes een onschuldige medeleerling van school kon laten verwijderen. En daar moest ik tegen opkijken?

'Dat weet ik,' zei ik op neutrale toon.

'Misschien heb ik je enigszins onderschat toen we elkaar voor het eerst ontmoetten,' zei ze.

Gaaf. Nu kon ik met een gerust hart sterven.

'O, eh, dank u wel.'

'Walter moet wel erg dol op je zijn,' zei ze met een sluwe, verwachtingsvolle blik. Ze dacht zeker dat ik alle onsmakelijke details van de verhouding tussen Walt en mij met haar zou bespreken.

'Daar lijkt het wel op,' zei ik.

Ze kneep haar ogen samen bij zo veel ongenaakbaarheid. Ik kreeg het gevoel dat ik haar beledigd had. Blijkbaar moest ik ernstig onder de indruk zijn van het feit dat de illustere Whittakers zich iets van mij aantrokken, maar ik wilde alleen maar dat deze avond voorbij was.

'Ah, daar hebben we je prins op het witte paard,' zei mevrouw Lattimer toen we de hoek om sloegen.

Paard was misschien niet helemaal het juiste woord: aan de rotonde stond een ranke, zilverkleurige sportwagen geparkeerd, zo slank en compact dat ik me afvroeg hoe Whittaker daar in paste. Zodra hij ons zag, stapte hij uit en sloot het portier met een beschaafde klik. Geen luide boink, geen blikkerige slag; dit was het gedempte geluid van een dure, solide auto met zo te zien een roomwit lederen interieur.

Whittaker liep naar ons toe. 'Goedenavond, mevrouw Lattimer.' Hij had een zwart pak aan met een wit overhemd en droeg een das met kleine wapentjes erop. In zijn hand had hij een enorm boeket rode rozen. Hij zag er zowaar goed uit. De afkeer die ik die ochtend gevoeld had, was gelukkig verdwenen, of misschien verdrongen door belangrijkere dingen.

'Dag Walter,' antwoordde mevrouw Lattimer met een knikje.

'Dag Reed, je ziet er verpletterend uit,' zei Whittaker.

'Dank je,' antwoordde ik luchtig, in een poging nonchalant te klinken.

Hij gaf me het boeket, dat een heerlijke geur verspreidde. 'Deze zijn voor jou.'

'Dank je,' zei ik nogmaals. Mevrouw Lattimer schraapte veelzeggend haar keel. 'Heel eh... mooi,' voegde ik er snel aan toe.

Whittaker glimlachte. 'Zullen we dan maar?'

Ik moest haast lachen toen hij me zijn arm bood, zoals mannen dat in de film doen. Mevrouw Lattimer maakte een gebaar met haar hoofd en ik nam het boeket in mijn linkerarm, om mijn rechterarm om die van Whittaker te kunnen slaan. Geen idee hoe me dit lukte zonder gekluns. Blijkbaar waren die ontelbare uren film kijken niet voor niets geweest.

Whittaker leidde me naar de auto en opende met buiging van zijn hoofd het portier voor me. Ik liet me op de stoel vallen en propte mijn jasje onder mijn benen. Toen ik naar mevrouw Lattimer keek, zag ik dat ze haar ogen sloot en afkeurend haar hoofd schudde.

O, blijkbaar had ik dat op een damesachtige manier moeten doen. Gelukkig leek Whittaker het niet gemerkt te hebben. Hij sloot het portier en wisselde een paar woorden met Lattimer. Ik probeerde ondertussen de rozen bij mijn voeten te leggen, maar daar was geen ruimte; ze staken tussen mijn benen omhoog. De achterbank dan? Ik draaide me om, maar er bleek geen achterbank te zijn. Uiteindelijk klikte ik mijn riem vast en hield ik de bos maar op schoot.

Ik haalde diep adem, snoof de geur van nieuw leer en rozen op en leunde achterover. Kon ik de grijze wolk die me al de hele dag omhulde maar verjagen. Ik wilde niet weten waar die wolk vandaan kwam. Ik streek met mijn hand over het chroom van het dashboard en probeerde dit leuk te vinden. De auto, de jurk, de bloemen; zoiets had ik toch nog nooit meegemaakt? Ik werd meegenomen naar een chic restaurant buiten de campus terwijl de rest van de school de vrijdagse stoofschotel zat te eten in de kantine. Ik had heel veel geluk.

Er welden tranen op in mijn ogen.

Helaas zat ik hier met de verkeerde jongen.

De grijze wolk sloot zich om me heen. Het kwam door Thomas. Deze romantische avond had ik met hem moeten doorbrengen. Hij zou hier naast me moeten zitten, maar ik had geen idee waar hij was en zat hier met een andere jongen.

Het portier aan de bestuurderskant ging open en Whittaker vouwde zichzelf dubbel achter het stuur. 'Ik vind het een hele eer dat je vanavond met me uit wilt, Reed,' zei hij.

Ik haalde diep adem en dwong mezelf te glimlachen. Dit afspraakje was alleen maar een middel om iets te bereiken, meer niet. En als alles liep zoals gepland, zou ik Thomas gauw genoeg zien.

'Het is een hele eer dat je me gevraagd hebt,' antwoordde ik.

35

Toen we in de buurt van Boston kwamen, passeerden we de enorme lichtreclame bij het water van oliemaatschappij Citgo en de verkeersborden die de weg naar het Fenway-stadion en de universiteit van Harvard wezen. Ik staarde uit het raam naar de oude gebouwen met de koepels en torens die zacht glansden in strategisch aangebrachte spots. Op de rivier dansten tientallen prachtige helderwitte zeilboten op en neer aan hun ankers. Daarachter rezen hoge flats op, van waaruit je waarschijnlijk een prachtig uitzicht had op de haven en spectaculaire zonsopgangen.

Ik had me altijd afgevraagd hoe het zou zijn om aan het water te wonen. Ik was midden in Pennsylvania opgegroeid en was zelfs nog nooit aan zee geweest. Dit was de eerste keer dat ik de Atlantische Oceaan zag, ook al was het dan maar een baai, en ik was meteen om. Alles zag er zo mooi en vredig uit.

'Kijk je je ogen uit?' vroeg Whittaker terwijl hij een hoek omsloeg, waardoor de haven alleen nog in de achteruitkijkspiegel te zien was.

'Het is hier zo mooi,' zei ik. 'Wat lief dat je me dit laat zien.'

Whittaker glimlachte. 'Graag gedaan.'

Terwijl we langs het water, de enorme hotels en het hypermoderne aquarium zoefden, moest ik me beheersen om niks te zeggen. Ik was in Boston! De stad van het Boston College, de technische universiteit, de beroemde Boston slagroomtaart, de wieg van de Amerikaanse Revolutie en honderden andere historische gebeurtenissen. Het was waar: met Whittaker kwam je nog eens ergens.

Het restaurant lag verscholen in een schilderachtig wijkje in het noorden van de stad, met overal oude bakstenen gebouwen en klinkerstraten met ouderwetse straatlantaarns. Een portier in uniform nam de autosleutels van Whittaker aan om de auto te parkeren. Whit bood me opnieuw zijn arm en leidde me naar binnen. 1787 zag ik staan op een afgebrokkelde hoeksteen vlak aan het trottoir.

Binnen nam een ober mijn jas aan en een derde man leidde ons naar een tafel achter in de hoek, in de buurt van een brandend haardvuur, dat een aangename warmte verspreidde. In de ruimte werd op gedempte toon geconverseerd en klonk het geluid van beschaafd rinkelend porselein en bestek. Ik ging zitten op een zachte stoel en probeerde niet te staren naar de diamanten die her en der om halzen en polsen schitterden. Nog nooit in mijn leven was ik in zo'n chic restaurant geweest, vol mensen voor wie geld duidelijk geen rol speelde. Als mijn ouders me nu eens konden zien!

We werden begroet door een lange man met een snor. 'Fijn dat u er bent, meneer Whittaker. Wilt u misschien de wijnkaart zien?'

'Dat hoeft niet, John,' antwoordde Whittaker. 'Ik wil graag zo'n fles Barolo uit '73 die we ook hebben gedronken op de trouwdag van mijn ouders.'

Ik knipperde met mijn ogen. Moest je niet eenentwintig zijn om alcohol te kunnen bestellen in dit land?

'Uitstekende keus, meneer. Beth komt er zo aan met de menukaart.'

Met een kleine buiging verdween hij geluidloos.

'Moet je je niet identificeren?' vroeg ik.

Whittaker grinnikte. 'Welnee, Reed.'

Ook goed. Ik sloeg mijn benen over elkaar, waarbij ik tegen de onderkant van de tafel bonsde, zodat de borden rinkelden.

'Oeps. Sorry.'

'Maakt niet uit,' zei Whittaker op een rustige, kalmerende toon die een plezierige rilling door me heen joeg. 'Relax.'

'Oké. Relax.'

Ik zette mijn ellebogen op tafel, maar haalde ze meteen

weer weg. Wierp die oudere mevrouw aan de tafel naast ons me een boze blik toe, of was dit gewoon haar natuurlijke gezichtsuitdrukking? Ik friemelde onder tafel met de zware gouden armband die ik had geleend van Kiran. Whittaker keek glimlachend toe hoe een slanke man in een zwart jasje onze glazen met water vulde. Het viel me nu op dat er drie verschillende glazen bij mijn bord stonden. Blijkbaar moesten we vanavond heel wat drinken. Ook van het bewerkte bestek was er veel te veel. Twee lepels, drie vorken, twee messen. Waar moest ik dat allemaal voor gebruiken?

'Mag ik mevrouw wat brood aanbieden?'

Plotseling hing er een nieuwe man over me heen die me een mandje vol broodjes voorhield. Er steeg een heerlijke geur uit op en ik voelde de warmte ervan op mijn gezicht.

'Eh, ja doe maar,' zei ik en stak mijn hand uit naar een bruin bolletje.

Ik verstarde toen de man zijn keel schraapte. 'Als mevrouw er een aanwijst, zal ik hem met plezier aanreiken,' zei hij.

'O.' Ik werd rood en wierp een blik op onze buurvrouw. Nu wist ik zeker dat ze boos keek.

'Ik wil graag die bruine,' zei ik verslagen.

'Roggebrood? Uitstekende keus,' zei hij met een star glimlachje. Toen toverde hij een zilveren tang achter zijn rug vandaan, viste het broodje uit de mand en legde het op mijn broodbordje. Flauw dat hij die tang verborgen had gehouden. Als ik hem gezien had, had ik wel geweten wat de bedoeling was.

'En u, meneer?' vroeg hij aan Whittaker.

Nadat Whit zijn keuze had gemaakt, gleed de broodman naar de muur, waar hij naast de waterman ging staan wachten tot hij weer ontboden zou worden. Dus dat was een baan? Wat zetten die mannen in vredesnaam op hun cv? Senior Zetmeel Distributeur? Professioneel Dorstlesser?

Zodra de broodman verdwenen was, stapte er een mooie blondine naar voren die Whittaker een in leer gebonden menu aanreikte.

'Welkom in Triviatta,' zei ze. 'Mijn naam is Beth. Aarzel niet het mij te vragen als u iets nodig hebt.'

'Dank je, Beth,' zei Whittaker, die het menu bestudeerde.

Ze draaide zich om en wilde weglopen.

'Eh, Beth?' hield ik haar tegen. 'Ik heb een vraag.'

Verschillende mensen draaiden zich naar me om. Misschien had ik iets te hard gepraat.

'Ja, mevrouw?' vroeg ze verbijsterd.

'Mag ik ook een kaart?' fluisterde ik. Zij en Whittaker staarden me aan. De broodman lachte, wat hem een schop van de waterman opleverde. Ik werd knalrood. 'Sorry. Mag ik *alstublieft* ook een kaart?'

Beth keek vragend naar Whittaker. Die glimlachte toegeeflijk en knikte.

'Een momentje, alstublieft,' zei Beth.

Ze glimlachte gespannen met een blik alsof ik een straathond was die kwam bedelen om een gratis maal. Toen ze weg was, leunde ik voorover naar Whittaker.

'Heb ik iets verkeerds gezegd?'

'Nee hoor,' zei Whittaker. 'Ik vind het wel leuk dat je zo… onafhankelijk bent.'

De spieren in mijn schouders verstrakten. 'Vind je me onafhankelijk omdat ik mijn eigen menukaart wil?'

'Weet je, dit is een nogal traditioneel restaurant,' zei Whittaker. 'Meestal bestelt de man voor de vrouw.'

'Wat ouderwets,' zei ik.

'Nee, traditioneel,' corrigeerde Whittaker.

Ik voelde woede in me opborrelen. Ik vond het niet prettig om behandeld te worden als een kleuter. Ik wilde hier niet zijn. Ik hóéfde hier ook niet te zijn. Hoe durfde hij zo'n toon tegen me aan te slaan? Beth kwam terug met de menukaart die ik zonder iets te zeggen opensloeg. Vluchtig bekeek ik de gerechten. De meeste vielen af omdat ze óf schaaldieren bevatten, waar ik allergisch voor was, óf onuitspreekbare namen hadden. Ik deed de kaart dicht en legde hem op tafel.

Whittaker trok zijn wenkbrauwen op. 'Weet je het nu al?'
Onder tafel wipte ik met mijn voet op en neer. 'Ja.'

'Wat gaat het worden?' vroeg hij.

'Hoezo moet je dat weten?'

Hij knipperde met zijn ogen. 'Omdat ik zo meteen voor ons ga bestellen. Daarom.'

'Dank je, maar ik bestel wel voor mezelf,' zei ik.

Whittaker slaakte een geïrriteerde zucht waarvan mijn haren recht overeind gingen staan. Hij liet langzaam zijn menu zakken en keek me over de flakkerende kaarsen bijna streng aan.

'Reed, laat me nou in elk geval de bestelling doorgeven,' zei hij. 'Zo doen ze dat nou eenmaal hier.'

Ik staarde hem aan. Wat was dit voor jongen? Wilde hij zo zijn achttiende verjaardag vieren? In een restaurant dat zo ouderwets was dat mijn opa zich er ongemakkelijk zou hebben gevoeld? Ik kon niet geloven dat hij dit echt leuk vond.

'Whittaker, mag ik je iets vragen?' vroeg ik.

'Natuurlijk.'

'Waarom zijn we hier? Waarom ben je niet aan het feesten met Dash en Gage en de andere jongens?' vroeg ik. 'Ze hadden vast wel iets voor je kunnen verzinnen. Daar heb je toch vrienden voor?'

Whittaker kromp enigszins ineen en keek weer in zijn menukaart. Hij schraapte zijn keel en bekeek nadrukkelijk de gerechten. 'Dash en Gage hebben vanavond... andere dingen te doen,' zei hij. 'En trouwens, ik had toch al gezegd dat ik mijn verjaardag met jou alleen wilde vieren?'

Op dat moment werd het me allemaal duidelijk. Het was gelogen. Alles was gelogen. Het was niet waar dat hij zijn verjaardag niet met Dash, Gage en Josh wilde doorbrengen. Het was andersom: zij hadden geen zin om de avond met hem door te brengen. Ze riepen wel heel hard dat ze hem zo graag mochten, maar daar hield het mee op. Ze vonden hem grappig, maar ze waren niet zijn vrienden. Anders had Whit nu bij hen gezeten.

Ik was niet de enige met wie hij zijn verjaardag wilde vieren. Ik was de enige die blijk had gegeven van enige interesse.

Ik wist hoe het was om je verjaardag zonder vrienden door te brengen. Ik had zo vaak met alleen mijn vader en mijn broer gezeten, die nu eenmaal in hetzelfde huis woonden, en met mijn onvermijdelijke moeder. Er was niets ergers, wist ik uit ervaring, dan een mislukte verjaardag.

Ik haalde diep adem en nam een besluit. Hoe ouderwets en belerend ook, Whittaker was feitelijk een aardige jongen die een leuke verjaardag verdiende. En vanaf nu was het mijn taak om daarvoor te zorgen.

'Ik wil graag de kogelbiefstuk. Medium,' zei ik.

Whittaker glimlachte en ging wat rechterop zitten. 'Uitstekende keus. Nog iets vooraf? Een toetje?'

'Het is jouw feestje,' antwoordde ik. 'Jij mag het zeggen.'

36

'Yes! We hebben een winnaar!' juichte ik met beide armen in de lucht. Whittaker stuurde net de auto door de bewaakte toegangspoort van Easton. Buiten was het pikkedonker en de portier wuifde ons door zonder de moeite te nemen op te kijken van zijn mini-tv. Ik vond het haast jammer dat de avond bijna voorbij was. Toen ik eenmaal had besloten om het hele gedoe te beschouwen als gewoon een avondje uit met een vriend die een gezellige verjaardag wilde, was ik het zowaar leuk gaan vinden.

'Hoeveel?' vroeg Whittaker glunderend.

Ik stak het kraslot omhoog. 'Twee dollar vijftig. Ik zei toch dat dit een goede investering was.'

De auto lag bezaaid met krasloten. Bij mijn voeten lagen tientallen waardeloze kaartjes en op mijn schoot had ik de paar winnende loten verzameld. Vijf dollar, twintig dollar; dat was het wel zo'n beetje.

'Misschien heb je zelfs je geld wel terugverdiend,' zei ik tegen Whittaker terwijl ik het laatste lot pakte. Hij had honderd dollar op de balie van het pompstation gelegd. De man achter de toonbank had ons aangekeken alsof we gek waren, maar had vervolgens geduldig honderd kaartjes voor ons uitgeteld.

'Krasloten, ik zou er zelf niet aan gedacht hebben,' zei Whittaker. Hij schakelde terug en reed langs de kronkelende weg de heuvel op.

'Echt niet? Bij ons is dit het eerste wat mensen doen als ze achttien worden,' zei ik. Natuurlijk had ik wel gedacht dat mensen als Whittaker niet meespeelden in de lotto. Het was al mooi dat hij wist wat de lotto was. Ik kraste het laatste vierkantje open. Het plaatje was anders dan de andere die erop stonden. 'Niets.' Ik gooide het kaartje op de grond.

'Wat hebben we in totaal?' vroeg hij.

Ik knipte het lichtje aan het plafond aan en telde snel op wat we gewonnen hadden. 'Honderdtwee dollar en vijftig cent,' deelde ik mee. 'Je hebt winst gemaakt.'

'Wauw, heb ik even geluk,' zei hij.

'Je moet ze inleveren bij een lottodealer,' zei ik, terwijl ik een stapeltje maakte van de winnende loten.

'Hou jij ze maar,' zei hij.

'Wat? Nee. Het zijn jouw verjaardagsloten.'

'Maar het was jouw idee,' antwoordde Whittaker terwijl hij de rotonde op reed waar Bradwell en de andere studentenhuizen voor jongerejaars op uitkeken. 'Ik sta erop.'

Ik voelde een beschamende blijdschap opkomen. Honderd dollar, dat was een hoop geld. Voor mij. Voor hem was het duidelijk niet meer dan een fooi. Hij gaf het met hetzelfde gemak weg.

'Oké,' zei ik. 'Bedankt.'

Hij stopte naast de stoeprand en draaide de contactsleutel om. Meteen sloeg de stemming in de auto om van lacherig en feestelijk naar serieus en beladen. Nu zouden we het krijgen. Het moment van de waarheid. De afsluiting van het afspraakje. Ik had uren eerder al besloten dat ik hem zijn gang zou laten gaan als hij zou proberen me te kussen. Het was duidelijk dat hij dat graag wilde en het zou een lage prijs zijn voor alles wat hij me had gegeven en nog zou kunnen geven. Maar nu het zover was, vroeg ik me af of ik het echt zou doen. Hoe langer ik bij Whit was, hoe meer ik hem mocht, maar niet op de manier die hij hoopte.

Ik beschouwde hem meer als een soort broer. Dodelijk voor de romantiek.

Ik draaide me naar Whittaker om toen hij zijn keel schraapte. Ik kon het, het was maar een zoen.

Whittaker wreef met zijn handpalmen over zijn broekspijpen. 'Reed, ik vroeg me af…'

Of je me mag zoenen? Ja hoor, ga je gang, dan hebben we het maar gehad.

'...of je me het genoegen wilt doen morgenavond mee te gaan naar de Legacy.'

'Wat?'

Daar lag de hoofdprijs zomaar op mijn schoot. Precies op het moment dat ik het meest gevreesd had. Ik was zo blij dat ik bijna in lachen uitbarstte, maar ik beet op mijn tong.

'Naar de Legacy. Iedereen gaat,' zei Whittaker die mijn verrassing interpreteerde als verwarring. 'Ik wil graag dat je meegaat als mijn introducé.'

'Heel graag,' zei ik. 'Dat lijkt me erg leuk.'

Whittaker straalde. Even zaten we glimlachend naast elkaar. Ik dacht dat hij misschien, heel misschien, hetzelfde voelde als ik. Dat we het samen gezellig hadden. Dat we gewoon goede vrienden waren.

Toen pakte hij mijn gezicht onhandig tussen zijn handen en kuste me.

Blijkbaar niet.

Ik probeerde adem te halen door mijn neus terwijl Whittaker zijn mond onhandig op de mijne zette. Uiteindelijk ging hij hijgend rechtop zitten en keek me aan, terwijl ik probeerde te verdoezelen dat ik bijna gestikt was. 'Dat wilde ik nou al de hele avond doen,' zei hij. 'Ik weet wel dat we gewoon vrienden zouden zijn, maar we voelen ons tot elkaar aangetrokken. Dat kunnen we niet langer negeren.'

Aha.

Whittaker staarde me aan, wachtend tot ik iets zou zeggen. Tot ik hem gelijk zou geven. Maar dat kon ik niet. Over zoiets kon ik niet tegen hem liegen. De waarheid zeggen – dat ik hem graag mocht, maar niet op die manier – was ook geen optie. Daarmee zou ik zijn hart breken en dat wilde ik hem niet aandoen, zeker niet op zijn verjaardag.

'Ik ben zo blij dat je mee wilt,' zei hij ten slotte.

Zo kon het niet langer. Ik moest hem nu de waarheid vertellen, al betekende dat, dat ik niet naar het feest kon en Thomas niet zou zien. Ik kon hem dit niet aandoen.

'Whit, ik...'

Op dat moment schrokken we op van een klop op het raam. Whittaker keek langs me heen.

'Mevrouw Lattimer,' zei hij.

O nee. Mijn hart klopte in mijn keel. Hoe lang stond ze daar al? Had ze ons zien zoenen?

Whittaker duwde iets kleins en kouds in mijn hand. 'Hier.'

Het was een ketting, een dun gouden kettinkje met een ovale hanger eraan, waar een klein kroontje van minidiamantjes op stond.

'Wat is dat?' vroeg ik.

'Dat heb je morgen nodig,' antwoordde hij met een snelle blik op Lattimer. 'Stop het maar gauw weg.'

Met kloppend hart stopte ik het kettinkje in mijn tas. Toen duwde ik de losgesprongen haarlokken achter mijn oor en streek mijn jurk glad. Ik keek Lattimer schaapachtig aan door het raam en zij beantwoordde dat met een sarcastische, veelzeggende blik.

'Goedenavond mevrouw Brennan,' zei ze weggedoken in haar kraag. 'Tijd om gedag te zeggen.'

Whittaker keek me verontschuldigend aan en stapte toen uit de auto. Ik propte de lottokaartjes in mijn zak en pakte de rozen terwijl hij om de auto heen liep om het portier voor me te openen.

Mijn knieën beefden toen ik mijn hooggehakte schoen op de stoep neerzette. Whittaker, die mijn aarzeling zag, hees me zo ongeveer omhoog.

'Welterusten, Reed,' zei Whittaker terwijl mevrouw Lattimer een fractie achteruit stapte.

'Welterusten, Whit,' zei ik. 'En nog een fijne verjaardag.'

'Dank je,' zei hij.

Toen leunde hij naar me toe en gaf me, tot mijn schrik en waarschijnlijk ook tot schrik van mevrouw Lattimer, nog een kus. Een lange, zachte kus met gesloten lippen.

'Ahum,' zei mevrouw Lattimer. Ze schraapte niet eens haar

keel, maar sprak het woord 'ahum' uit.

Whittaker ging rechtop staan, glimlachte smeltend en liep terug naar de auto. Ik draaide me om en glimlachte ongemakkelijk naar mevrouw Lattimer.

'Dus het is gelukt?' vroeg ze.

'Min of meer,' antwoordde ik, mijn schuldgevoel onderdrukkend. Ik had niet eens de kans gehad om Whit te vertellen wat ik werkelijk voor hem voelde. Nu ging hij terug naar zijn studentenhuis in de overtuiging dat we iets hadden. En erger nog, ik voelde opluchting. Ik wilde echt naar dat feest. Ik moest naar dat feest.

En was het nou werkelijk zo erg? Whittaker wilde er graag met mij heen, hij had niemand anders gevraagd. Het was toch niet erg om een uitnodiging van een vriend te accepteren?

Bah, ik walgde van mezelf.

'Vooruit nu,' zei mevrouw Lattimer. 'Het is al laat.'

Ik haalde diep adem om mijn zenuwen onder controle te krijgen. Zenuwen omdat ik gekust was, en betrapt. Zenuwen omdat ik naar de Legacy zou gaan en omdat dat zoveel voor mij, voor Whit en voor Thomas betekende. Ik ademde in en keek omhoog om de sterren te zien, maar zo ver kwam mijn blik niet. Hij kwam tot stilstand bij een raam op de bovenste verdieping van Bradwell, waar Missy, Lorna en Constance naar ons stonden te kijken.

Het hart zakte me in de schoenen. Constance had het allemaal gezien, ik zag het aan haar gezicht. De auto, de bloemen, de zoen. Haar hart brak terwijl ze daar stond te kijken. En ik was degene die het gebroken had.

37

De volgende ochtend maakte ik snel de bedden op en rende Billings uit in de hoop dat ik Constance zou kunnen spreken op het moment dat ze naar buiten kwam. Toen ik op het plein kwam, bleek ik echter niet snel genoeg te zijn geweest. Constance was al op weg naar de kantine met Kiki en Diana aan haar ene zij en Lorna en Missy aan de andere, alsof die haar beste vriendinnen waren. Een week eerder zagen ze Constance niet staan, dus ik vermoedde dat ze één front vormden alleen maar om mij te kunnen dwarszitten.

Maar ik was niet bang voor hen. Ze waren schatjes vergeleken met de mensen met wie ik elke dag in Billings te maken had.

'Constance,' riep ik. Ik zag haar even aarzelen. Lorna keek op en fluisterde daarna iets in het oor van Constance. Toen begonnen ze allemaal harder te lopen. 'Constance, wacht nou even!'

Ze stopten niet en gingen zelfs niet langzamer lopen. Gelukkig had ik hen met een verstuikte enkel en een beademingstoestel nog wel kunnen inhalen. Ik bleef voor hen stilstaan. De gepijnigde blik van Constance was een slag in mijn gezicht en ze profiteerden van mijn aarzeling door om me heen te lopen.

Ik legde een hand op de schouder van Constance, die zich met opvliegend haar omdraaide.

'Wat moet je?' bitste ze. Haar gezicht was vlekkerig en nat en haar groene, roodbehuilde ogen schitterden onnatuurlijk.

'Het eh, het spijt me,' zei ik.

Constance kneep haar ogen tot spleetjes. 'Wat spijt je?' vroeg ze met vooruitgestoken kin.

'Wat er gisteravond gebeurd is,' zei ik. 'Ik weet dat je ons gezien hebt en ik zweer dat ik het niet zo gewild heb. Je moet me geloven.'

'Aha, je wilde dus geen afspraakje met een van de populairste jongens van Easton,' zei Constance. 'Je wilde dus geen bloemen krijgen. En je wilde ook niet gezoend worden.'

'Nou, zo zag het er anders niet uit,' zei Missy sarcastisch.

Ik negeerde haar.

'Constance, ik voel niets voor Whittaker,' zei ik.

'O? En waarom niet? Is hij soms niet goed genoeg voor je?' vroeg Constance beledigd. 'Voel je je, sinds je op Billings woont, soms verheven boven de jongen op wie ik al mijn hele leven verliefd ben?'

'Nee, dat bedoel ik niet,' antwoordde ik. Maar wat moest ik zeggen? Wat ze gezien had was maar voor één uitleg vatbaar. En ik had al besloten om in elk geval vanavond met hem te daten. Tot de Legacy. Wat probeerde ik nou eigenlijk te zeggen?

'Ik wilde alleen maar zeggen dat het me spijt,' zei ik uiteindelijk. 'Meer niet.'

'Nou, het spijt mij ook,' zei Constance met tranen in haar stem. 'Het spijt me dat ik ooit gedacht heb dat ik je kon vertrouwen. Het spijt me dat ik ooit gedacht heb dat we vriendinnen waren.'

Missy en Lorna lachten spottend en fluisterden iets. Diana keek ongemakkelijk en Kiki staarde met haar iPod op naar de kantine in de verte.

'Toen ik je ontmoette dacht ik dat ik geluk had met zo'n leuke kamergenoot, zo aardig en zonder kapsones,' zei Constance. 'Maar je deed alleen maar alsof, hè? Vanaf dag één wilde je alleen maar in Billings terechtkomen en mij in de steek laten. En nu ben je net zo oppervlakkig en achterbaks als die anderen.'

Zelfs Missy was geschokt door deze woorden. Niemand haalde het in zijn hoofd om kwaad te spreken over de Billings Girls. Niet iemand die zo laag in rang was als Constance in elk geval.

'Het bewijst dat een eerste indruk niets zegt,' besloot Constance. 'Kom op, jongens.'

Ze draaide zich om en liep weg. Ergens genoot ze van de invloed die ze nu binnen dat kleine groepje had. Maar die invloed was natuurlijk maar tijdelijk, tot het niet langer amusant of zinvol was om medelijden met haar te hebben. Toen ik hen zag weglopen drong het in volle omvang tot me door wat dit betekende. Constance was hier de enige geweest die mij vanaf de eerste dag aardig had gevonden, die er vanaf de eerste dag voor me geweest was en die daarvoor nooit iets had terugverlangd.

Zij had een goede vriendin kunnen worden, maar die kans had ik nu vergooid. Nu had ik alleen nog de Billings Girls. Zij waren vanaf nu mijn enige vrienden en mijn enige kans op een leven op Easton.

38

Ik liep Billings House in met een vastberadenheid die ik niet meer gevoeld had sinds ik op de basisschool had besloten om eindelijk mijn moeder de waarheid te zeggen. Natuurlijk was dat gevoel snel verwenen toen ik het huis binnenstormde en haar daar bewusteloos in een plas braaksel vond, maar dit keer zou niets of niemand me weerhouden. Natasha niet, de vreselijke foto's van mij met Whit niet, helemaal niets. Ik ging doen wat me te doen stond, wat de gevolgen ook zouden zijn.

Ik ving wat verstoorde blikken op van willekeurige Billings-meisjes toen ik de trap met twee treden tegelijk op stormde, maar niemand hield me tegen of zei me zelfs maar gedag, zodat ik binnen de kortste keren voor Noelles deur stond. Ik klopte hard.

'Binnen.'

'Hoi, ik moet iets met je…'

O. Dit was misschien wel genoeg om me tegen te houden. Noelle stond in het midden van de kamer in een prachtige, zwarte baljurk en hielp Ariana om een nog mooiere, zeegroene japon aan te trekken. Ariana had alleen een string en een strapless bh aan en haar buik was zo plat als een landingsbaan. Ze verblikten of verbloosden niet toen ik binnenkwam.

'Hoi, Reed,' zei Ariana met een lachje.

Ze keek toe hoe Noelle de jurk optrok en stak toen haar armen door de schouderbandjes. Noelle trok de rits dicht en daar stonden ze, Noelle de boze koningin en Ariana de sprookjesprinses. Behalve bij de Oscaruitreiking had ik nog nooit zulke jurken gezien.

'Is dat wat jullie vanavond aantrekken?' vroeg ik. Verspreid over Noelles bed lagen maskertjes in verschillende kleuren, versierd met lovertjes, veren en kraaltjes.

Noelle keek in de grote spiegel en liet de wijde rok heen

en weer zwieren. 'We weten het nog niet,' zei ze. Bedoelde ze dat ergens in de kamer nog meer van dit soort jurken verstopt waren? Waarom was ik die dan niet tegengekomen op mijn zoektocht? 'Zei je dat je iets wilde bespreken?' vroeg ze terwijl ze via de spiegel naar me keek.

Oké, concentreren nu. Even door de zure appel heen bijten. En daarna misschien vluchten voor mijn leven.

'Ik moet iets opbiechten,' zei ik met bonkend hart. 'Iets wat jullie niet leuk gaan vinden.'

Noelle en Ariana wisselden een blik. Ariana ging elegant op de rand van het bed zitten, streek haar rok glad en kruiste haar benen bij de enkels, zoals het een dame betaamt.

'Nou, zeg het maar,' zei ze.

Ik keek naar het plafond en veegde mijn zwetende handen af aan mijn spijkerbroek. 'Waar zal ik eens beginnen?'

'Meestal is bij het begin een goed idee,' zei Ariana.

Ik lachte nerveus. 'Oké. Nou, eh… Weten jullie nog die avond dat we in het bos waren? Na het ouderweekend? De avond dat ik Whit heb ontmoet?'

Ik slikte.

'Ja,' zei Noelle. Ze hield een diamanten oorhanger bij haar oor.

'Nou, die avond blijkt Natasha foto's te hebben genomen van mij en Whit. Terwijl we eh, dingen deden.'

Nu raakten ze plotseling geïnteresseerd. Noelle draaide zich eindelijk om en keek me aan. Ik had verwacht dat ze geschokt zou zijn, maar ze grijnsde alleen maar.

'Wat voor dingen?' vroeg ze.

O nee! Ze wilde ook nog dat ik het hardop zou zeggen. Zag ze niet dat ik het zo al erg genoeg vond? 'Nou, zoenen. Drinken. Je weet wel.'

'O,' zei Ariana neutraal.

'Maar goed. Ze heeft me die foto's laten zien en ze dreigt nu om ze naar de rector te sturen, zodat ik van school getrapt word. Tenzij… tenzij…'

Nog even en ze zouden me vermoorden. Ze zouden mijn haar eruit trekken en mijn ogen uitkrabben en, erger nog, me in een oogwenk van Easton laten verwijderen.

'Tenzij…?' spoorde Ariana me aan, terwijl ze luchtig met haar hand wuifde.

'Tenzij ik jullie zou bespioneren,' bracht ik eindelijk uit met gesloten ogen. 'Nou ja, niet echt bespioneren, maar rondsnuffelen. Door jullie spullen gaan, terwijl ik jullie kamers schoonmaakte. Ze denkt dat jullie Leanne Shore van school hebben laten zetten en ze wil dat ik daarvoor het bewijs vind.'

Ik wachtte op de uitbarsting, maar die volgde niet. Toen ik eindelijk weer een beetje bij zinnen was, staarde Ariana me nog aan en had Noelle nog steeds een grijns op haar gezicht. Waarom waren ze niet geschokt? Verontwaardigd? Ze zouden woest op me moeten zijn. Of in elk geval verbaasd en boos dat Natasha me probeerde te gebruiken. Maar ze zeiden geen woord. Ik begreep er niets van.

'En heb je dat gedaan?'

'Rondsnuffelen of bewijs vinden?' vroeg ik.

'Een van de twee. Of allebei,' zei Ariana.

Mijn hoofd zakte omlaag. 'Ja, ik heb inderdaad iets gevonden. Maar ik heb er niets mee gedaan. Echt niet.'

Ik wilde dat ze iets zouden zeggen. Het maakte niet uit wat. Dat ze zouden krijsen en schreeuwen. Maar ze zwegen als het graf en dat was veel enger dan de ergste woedeaanval.

'Maar dit heb ik dus gevonden,' zei ik. Ik haalde de USB-stick uit mijn achterzak en wilde hem geven. Geen van hen bewoog zich. Uiteindelijk liep ik langs Noelle en legde hem op haar bureau. Toen ging ik weer op mijn plaats staan en wachtte. En wachtte. Het was een marteling. 'Wat… wat gaan jullie nu doen?'

Noelle zuchtte dramatisch. Ze draaide zich om en pakte een andere oorhanger uit de doos. 'Niets.'

'Hoezo niets?' zei ik. Niet dat ik er het recht toe had, maar ik begon toch een beetje boos te worden. Zagen ze niet hoe moeilijk dit voor me was? Zagen ze niet dat mijn toekomst op het spel stond? Ze konden toch wel op de een of andere manier reageren?

'Zijn jullie niet boos?'

Ariana stond op. 'Niet echt,' antwoordde ze. Ze zweefde langs me heen naar haar kant van de kamer en pakte een paar zilveren sandaaltjes uit de kast.

'Maar Natasha dan?' vroeg ik, steeds wanhopiger. 'Als ik tegen haar zeg dat ik die USB-stick aan jullie heb gegeven, stuurt ze de foto's op. En dan word ik van school getrapt.'

'Hou 'ns op met zeuren,' zei Noelle. 'Dat is onaantrekkelijk.'

Ze maakte de oorhanger vast, draaide zich om en keek me aan met een medelijdende glimlach.

'Ja maar…' begon ik.

Noelle legde een vinger op haar lippen. 'Ssssst,' zei ze haast troostend. 'Vergeet het nu maar even allemaal, goed?' Toen glimlachte ze. 'Heeft Whittaker je nou nog uitgenodigd voor de Legacy?'

Wat had dat er nu weer mee te maken?

'Ja.'

'Mooi zo,' zei Noelle. 'Heeft hij je de ketting gegeven?'

'Ja, hoezo?'

'Die moet je om. Het is je entreebewijs,' zei Noelle.

Nou ja zeg! Een feest waar je alleen binnenkwam met een gouden ketting met diamanten? Wie betaalde dit allemaal?

'Aan het werk,' zei Noelle. Ze knikte over mijn schouder naar Ariana die uit de kast een ongelooflijke, goudglanzende jurk in een doorzichtige hoes tevoorschijn haalde. Aan het zilveren hangertje hing ook een gouden masker met een witte veer aan één kant. Ze drapeerde de jurk over haar arm en reikte hem me aan. Nog steeds geschokt staarde ik ademloos naar de japon.

'Is die voor mij?' vroeg ik.

'Kiran heeft je maat geschat,' legde Ariana uit.

'In negenennegentig komma negen procent van de gevallen zit ze goed,' zei Noelle. 'Het is een gave.'

'Ik geloof mijn ogen niet,' zei ik met trillende stem.

Noelle haalde haar schouders op. 'Een vriendelijk gebaar van Roberto Cavalli. Je kunt niet naar de Legacy in een spijkerbroek en een t-shirt.' Ze nam me geamuseerd op. 'We hebben het er nog wel over.' Toen draaide ze zich om en hield haar volle bos haar omhoog. 'Maak je even mijn rits los?'

Ik aarzelde. 'Doe je 'm weer uit?'

'We kunnen moeilijk van de campus wegglippen in baljurken, Reed. Dat zou een beetje te veel in de gaten lopen,' zei ze.

'O ja.'

Ik trok de rits tot onderaan open en Noelle stapte uit de jurk en liep zonder haast, volledig naakt, naar de kast om haar zijden kamerjas aan te trekken. Toen ze zich omdraaide ving ik een glimp op van het felrode litteken op haar buik. Ze leek geen haast te hebben om het te verbergen. De rest van haar lichaam ook niet, trouwens.

Ariana hield de jurk omhoog. 'Pak aan,' zei ze.

'Ja, en ga dan even langs Kiran om te kijken of ze nog bijpassende schoenen heeft,' zei Noelle. Ze lachte. 'Dat zal ongetwijfeld het geval zijn.'

Ik pakte de jurk behoedzaam van Ariana aan. Ze glimlachte trots naar me, als een moeder die haar kleine meisje aankleedde voor het schoolbal. Ik wist niet wat ik moest zeggen. Ik wist wel dat ik hen zou moeten bedanken, maar hoe kon ik hier nou weggaan zonder dat er iets was opgelost?

'Maar...'

'We hebben het er later wel over,' herhaalde Noelle nadrukkelijk. 'Vooruit. Over een uur wordt het al donker.'

Ik had het gevoel dat ze zou uitbarsten als ik nog langer aarzelde. Nu kwam ik er nog gemakkelijk vanaf. Ik pakte de jurk dus aan en ging weg, in de hoop dat deze kwestie zichzelf op de een of andere manier zou oplossen.

39

Een halfuur later, toen de trein door dorpjes en voorsteden zoefde, langs bomen, scholen en parken, begreep ik wat Noelle had bedoeld toen ze zei dat ze nog niet wisten wat ze zouden aantrekken. Het betekende dat alle Easton-meisjes achter in de coupé, giechelend, in hun ondergoed, voor de ogen van alle medepassagiers jurken stonden te passen, te ruilen, aan en uit te trekken. Ik zat intussen in mijn eentje in mijn gouden jurk, mijn Legacy-ketting om mijn hals, en probeerde Natasha te ontlopen. Ik vroeg me af hoe ik ooit in deze situatie was beland.

'Kom op, meiden, uit die jurken!' riep Gage vanaf de andere kant van de coupé, waar hij lol stond te maken met Dash. Een zijden slipje vloog door de lucht en belandde onder luid gelach in zijn gezicht. Gage stopte het in zijn zak en pakte van Dash een fles drank aan. Hij nam een teug wodka zonder zijn verlangende blik los te maken van het tafereel.

'Maar jij wilde dus liever niet met de trein,' zei hij spottend tegen Dash.

Dash grijnsde. 'Ik geef toe dat ik fout zat.'

'Heb jij geen zin om een graai in de verkleedkoffer te doen?'

Ik keek op en zag Josh in het gangpad staan, met een hand op mijn hoofdsteun en de andere op de rugleuning van de stoel voor me. Hij zag er onweerstaanbaar uit in zijn smoking en met zijn hoofd vol ontembare krullen.

'Ik ben heel tevreden met wat ik nu aanheb,' zei ik en pakte het gouden masker dat op mijn schoot lag bij het gouden stokje. Meteen na het instappen had ik me omgekleed in de minuscule wc en ik was niet van plan deze jurk weer uit te doen. Nog nooit in mijn leven had ik zoiets gedragen.

'Mooi zo. Ik ben ook heel tevreden,' zei hij. Ik lachte blozend.

'Zal ik bij je komen zitten?'

'Graag.'

Ik was blij toe dat Josh er was. Dan kon Whit tenminste niet bij me komen zitten wanneer hij klaar was om de meest recente flater van het Hooggerechtshof te bespreken met de jongens van zijn afdeling. De jongens die al genoeg blote meiden hadden gezien, of van wie de interesse zich op een ander vlak bevond.

'Dus jij mocht geen introducé meenemen?' vroeg ik toen hij was gaan zitten.

'Nee, ik mag al blij zijn dat ik een uitnodiging heb,' zei hij schouderophalend. 'Ik ben van de derde generatie. Dat is op het randje.'

'O.'

'Maar jij dan! Jij hebt een van de weinige introductiekaartjes van de school in de wacht gesleept. Je zult wel trots zijn,' plaagde hij. 'Niet dat het me verbaast, hoor.'

'Hoezo?' vroeg ik, niet zeker of dat een belediging was.

'Nou, dat Whittaker jou heeft uitgekozen van alle meisjes op school,' zei hij.

Ik bloosde van plezier. Geen belediging dus.

'Ik weet niet of ik iemand zou uitnodigen als ik een extra kaartje had,' zei Josh. 'Tenzij ik een heel speciaal iemand zou weten, maar anders ging ik liever alleen. Zo zit ik nou eenmaal in elkaar.'

Ik schudde lachend mijn hoofd. 'De meisjes op school zouden je afmaken als je dat deed,' zei ik.

'Dat moet dan maar,' zei hij. 'En hoe is het met jou, Reed Brennan?'

Ik haalde diep adem. 'Goed hoor. Het gaat goed.'

'Dat klinkt overtuigend, zeg,' zei hij met een grappig knikje van zijn hoofd. 'Als je dat blijft zeggen, ga je het zelf misschien ook wel geloven.'

Ik glimlachte treurig. 'Denk je dat Thomas er vanavond is?'

Josh blies zijn wangen op en zuchtte, terwijl hij aan een

scheur in de bekleding van de stoel pulkte. 'Ik hoop van wel. Dan kan ik hem een rotschop verkopen.'

Ik keek hem vragend aan.

'Omdat wij zo in de rats hebben gezeten vanwege hem.'

'O ja. Een verwaarloosbaar foutje.'

We keken elkaar aan en even hield ik de blik in zijn groene ogen vast, die vriendelijke, oprechte, groene ogen die niets te verbergen hadden. Josh glimlachte en ik glimlachte terug. Daarna gleed zijn blik naar beneden om een fractie van een seconde op mijn lippen te blijven rusten.

Mijn hart sloeg een slag over. Josh Hollis liet mijn hart overslaan.

Ik kreeg het plotseling warm en keek de ander kant op, net als Josh. Thomas. Ik ging naar dit feest om Thomas te zien. Natuurlijk koos Whittaker dit ongelukkige moment om naar me toe te komen.

'Goedenavond, Josh,' zei hij vriendelijk. 'Volgens mij is dat mijn stoel.'

Nerveus keek ik naar Josh met een 'niets aan te doen'-blik.

'Ik zie je straks nog wel,' zei Josh terwijl hij opstond om plaats te maken voor Whittaker.

'Vast wel.'

Whittaker ging naast me zitten en legde zijn arm zwaar op mijn schouder. 'Het wordt een fantastische avond.'

'Ja.' Ik staarde over de rugleuning heen naar Josh terwijl ik met mijn masker speelde. Hij stond te praten met Gage en Dash en lachte alsof er niets aan de hand was. 'Ja, vast en zeker.'

40

Tegen de tijd dat we uitstapten op het Grand Central Station in New York, was bijna iedereen al enigszins aangeschoten. Ik was dan ook niet verbaasd dat Kiran en Taylor elk een arm door de mijne haakten en me lachend en fluisterend meesleepten door de centrale hal, dronken van vrijheid. Onze stemmen weergalmden tegen het enorme koepelplafond hoog boven ons, terwijl we ons door de hal haastten, voorzichtig om niet te struikelen over onze jurken. Ongelooflijk dat ik in New York, het centrum van de beschaafde wereld, was. Maar nog ongelooflijker was dat ik hier in gezelschap van deze mensen verkeerde, met zo'n prachtige jurk aan en dat ik overal nieuwsgierige en geïmponeerde blikken oogstte.

Ik voelde me een beroemdheid, een ster, ik voelde me iemand die ik niet was.

'Waar gaan we eigenlijk heen?' vroeg ik toen we als een prinses met zes benen en te hoge hakken buitenstonden.

De rest van de groep kwam achter ons aan, luid en zelfverzekerd pratend en ongevoelig voor de starende blikken om ons heen. Op de brede straat voor ons raceten rijen auto's voorbij, toeterend, voorsorterend, remmend. Een hotdogverkoper duwde zijn karretje over het trottoir, scheldend tegen niemand in het bijzonder. Een stelletje kinderen verkleed als Spiderman en Bratz rende achter vermoeide moeders aan. Twee grote mannen in zwartleren jacks baanden zich ruziënd een weg dwars door ons groepje heen, zodat Rose en Cheyenne snel achteruit moesten springen om niet omver te worden gelopen. In vijf minuten had ik in deze stad al meer drukte gezien dan in mijn hele leven in Croton, Pennsylvania.

'Dat zul je wel zien!' riep Kiran opgewonden. Ze trok me mee over de stoep. Een stel middelbare scholieren in vampieruitrusting, met witgepoederde gezichten, glipte met onderzoekende blikken langs ons heen. Een lange man in een apenpak trok een mooi meisje dat gekleed was als Naomi Watts in King Kong de straat over. Monsters en spoken staken hun hoofden uit raampjes van passerende taxi's en er kwam een limousine voorbij met een open dak waaruit vier juichende, als vrouwen verklede mannen met enorme borsten staken.

'Heerlijk, New York met Halloween,' zei Noelle. Ze nam een slok uit een fles. 'Dan komen alle gekken tevoorschijn.'

We liepen een stuk, sloegen wat hoeken om en langzaamaan begonnen mijn voeten in Kirans onmogelijk hoge schoenen pijn te doen. Waarom hadden die rijkeluiskinderen eigenlijk geen limousine gehuurd? Of ten minste een taxi aangehouden? Maar hoe verder we liepen en hoe meer bewonderende blikken we oogstten, hoe duidelijker het me werd. Ze wilden gezien en bewonderd worden. Daarom liepen we hier. Het was een ererondje.

Ik vond het allang best, want pijn of niet, ik was in New York. Ik deed mijn best niet met open mond te staren naar de luxe winkels en de chique restaurants. Naar de helder verlichte ramen waarachter sobere interieurs met witte muren en hoge plafonds zichtbaar waren, of stampvolle kamers met uitpuilende boekenkasten en antieke spullen. Ik knipperde zelfs niet met mijn ogen toen we langs een vrouw liepen die haar hondje uitliet en die verdacht veel op Charlize Theron leek. Ik meende zelfs dat ze even stopte om mijn jurk te bewonderen. Ik zoog het allemaal in me op. Ik zoog het op, borg het weg en zei keer op keer tegen mezelf dat ik hier hoorde. Dat het geen droom was, maar dat het echt gebeurde. En dat ik erbij was.

We kwamen uit op een brede avenue met in het midden een strook bomen en struiken. Een stel van middelbare leeftijd in avondkleding gleed voorbij, en ik hoorde de zijden rok van de vrouw ritselen. Haar enorme oorbellen met diamanten en robijnen glinsterden in het licht van de straatlantaarns. Stiekem, om niet al te erg een provinciaaltje te lijken, keek ik omhoog naar het straatnaambordje boven mijn hoofd en glimlachte. We waren op Park Avenue. Dé Park Avenue. Ik, Reed Brennan, stond op Park Avenue. Het bestond dus echt.

'Hierheen,' riep Dash. Hij ging de groep voor de straat over, langs een stilstaande Rolls-Royce met een chauffeur in uniform erin. Kiran, Taylor en ik liepen in de maat langs de helder verlichte entrees met prachtige marmeren vloeren, glinsterende kroonluchters en prachtige boeketten. Ik was overdonderd door de rijkdom van dit alles.

Kiran en Taylor vermaakten zich met het klikklakken van onze hakken. Ze vonden het zo leuk, dat we bijna de anderen voorbijliepen toen die stopten voor een smeedijzeren hek. Blijkbaar waren we er.

Dash drukte op een bel in de grijsstenen muur en twee seconden later verscheen er een imponerende man in een groen portierskostuum met gouden tressen. Hij bekeek ons met een misprijzende blik, alsof we zojuist uit de goot gekrabbeld waren.

'Kan ik iets voor u doen?' vroeg hij met nasale stem.

Noelle stapte naar voren en duwde Dash opzij. Van haar verblindende schoonheid leek de portier in elk geval onder de indruk. Zijn blik dwaalde af naar de plek in haar decolleté waar haar Legacy-ketting glinsterde.

De dunne lippen van de man plooiden zich in een glimlach en hij maakte een kleine buiging met zijn hoofd. 'Welkom.'

Hij ontsloot het hek, dat met een eeuwenoud gepiep openging. Dash liet zijn manchetten zien, waar een paar Legacy-manchetknopen te zien waren – de mannenversie van het toegangsbewijs – en ook naar hem knikte de man. Whittaker maakte me los van mijn vriendinnen, nam me aan mijn hand mee naar binnen en liet in het voorbijgaan zijn manchetknopen zien. De portier wierp een blik op mijn borst en ook ik mocht naar binnen. Eindelijk was het zover. Ik was op de Legacy. Nu was het tijd om aan het werk te gaan.

41

'Zoiets heb ik nog nooit gezien,' fluisterde ik tegen Whittaker terwijl we tussen de rondlopende gasten door slalomden. Met zijn warme en zweterige hand kneep hij die van mij bijna fijn. Ik zou het liefst even stilstaan en om me heen kijken, maar Whittaker moest en zou ergens heen.

'Kom, we moeten vooraan staan bij de opening,' zei hij terwijl hij me aan mijn hand meetrok.

Met mijn vrije hand hield ik het maskertje voor mijn gezicht. Het was moeilijk om iets te zien bij kaarslicht en eigenlijk wilde ik het laten zakken, maar iedereen hield het op en ik wilde geen provinciaaltje lijken.

'De opening?'

Whittaker gaf geen antwoord. Het was zo donker dat ik de gezichten om me heen nauwelijks kon zien en dat masker hielp ook niet echt. Als de verlichting het hele feest zo bleef, zou ik Thomas nooit vinden, zeker niet als hij ook een masker op had. Mijn enige hoop was dat hij zich zou onderscheiden van de rest. En daar kon ik eigenlijk wel op rekenen.

Overal om me heen ritselden rokken, nipten mensen aan drankjes en werd er op zachte toon gepraat. Voor het feest van het jaar was het nogal een tamme bedoening. Ik liet mijn ogen over de menigte gaan, maar zag niemand die ik kende, zelfs de mensen met wie ik was gekomen niet. Iedereen was zijn eigen weg gegaan zodra we de lift uit kwamen en was nu verdwenen in de zee van gemaskerde gezichten.

Eindelijk bleef Whittaker ergens langs een muur staan en kon ik even op adem komen. Hij fluisterde iets tegen een lange, magere ober die al snel terugkwam met twee drankjes op een dienblad. Whittaker reikte me een haast fluorescerend roze drankje aan in een beslagen cocktailglas. Zelf nam hij het robuuste glas met iets donkers erin. Ik probeerde mijn glas met één hand recht te houden, maar morste direct op de dure marmeren vloer; ik moest duidelijk nog oefenen.

Wat zou ik doen: masker af of er een zooitje van maken? Ik duwde het masker onder mijn arm zodat ik het drankje met twee handen kon vasthouden.

'Van wie is dit huis eigenlijk?' vroeg ik.

'Van de Dreskins,' antwoordde Whittaker onaangedaan terwijl hij de tientallen in designerkleding gestoken gasten gadesloeg die door de grote ruimte heen en weer liepen. 'Donald Dreskin, Dee Dee Dreskin en hun ouders. Het zijn goede vrienden van mijn vader en moeder.'

'O. Dus je bent hier al eens eerder geweest?'

'Een paar keer,' zei hij. 'Elk jaar voor de Legacy. Die wordt al bij de Dreskins gehouden zolang ik me kan herinneren.'

Hij deed alsof het allemaal normaal was. Alsof hij dagelijks de privélift naar riante appartementen op Park Avenue nam. Alsof hij thuis was in dit appartement, dat zich uitstrekte over de volle breedte van het gebouw, en dat over twee verdiepingen. Een appartement dat vijf keer zo groot was als ons hele huis. Tot nu toe had ik alleen nog maar de enorme entreehal met een Picasso tot aan het plafond en de antieke kroonluchter gezien, en deze gigantische ruimte die uitkeek op Central Park – hét Central Park – maar ik viel nu al om van bewondering.

Plotseling zwol het geroezemoes aan. Iedereen draaide zich om in onze richting. Ik keek op om te zien wat er aan de hand was en zag dat de twee grote, openslaande deuren achter me openzwaaiden. De vloer aan die kant van de ruimte was drie treden hoger, zodat het een soort podium was.

'Ah, het is zover,' zei Whittaker verwachtingsvol.

Door de deuropening kwam een man in een smoking naar voren met een grijnzend, houten clownsmasker op. Iedereen werd stil toen hij zijn handen voor zijn buik vouwde.

'Een hartelijk welkom aan ieder van u,' zei de man, nauwelijks gehinderd door het masker. 'Als ceremoniemeester van de Legacy is het mij een grote eer en een groot genoegen u allen uit te nodigen het heilige der heilige te betreden.' Er ging een siddering van verwachting door de zaal, die zelfs ik voelde, al had ik geen idee wat ik kon verwachten. De ceremoniemeester hief een waarschuwende vinger. 'Maar denk erom: alles wat u hier ziet, wat u hier doet, iedereen wie u aanraakt, wie u neukt…'

Overal klonk gelach.

'…het blijft onder ons. Dit is tenslotte de Legacy. U behoort tot de uitverkorenen. Dus verzoen u met wie u liefhebt en zie niet om.'

Met die woorden stapte de ceremoniemeester opzij en bewoog iedereen zich als één man naar de deuren, alsof de zaal ontruimd moest worden.

Whittaker trok me mee aan mijn hand. 'Wat is daar te doen?' vroeg ik hem. Na het welkomstwoord voelde ik me behoorlijk gespannen.

'Dat zul je wel zien,' zei Whittaker met een ondeugend lachje.

Zijn greep op mijn hand werd vaster naarmate we dichter bij de deuropening kwamen en ik vroeg me af of dit wel zo'n goed idee was geweest.

42

Eenmaal over de drempel kwam ik terecht in een andere wereld. Een enorme balzaal was van plafond tot vloer volgehangen met rode, zwarte, roze en paarse gazen en fluwelen draperieën. Overal hingen snoeren met glinsterende spiegeltjes die de ronddansende lichtbundels vingen en doorkaatsten naar de honderden gemaskerde gezichten. Boven ons hoofd, aan koorden aan het plafond, draaiden en duikelden schaarsgeklede, felbeschilderde acrobaten. In het midden van de zaal begonnen al feestgangers te dansen op de oorverdovende beat van een dj die achterin in een hoek stond. Op een rond podiumpje naast hem speelde een orkestje het opgewonden nummer mee. Hun muziek vervlocht zich met de beat tot een vreemde, exotische, haast uitzinnige melodie. Prachtige vrouwen in ingewikkelde kostuums liepen rond met drankjes en wezen mensen de weg naar door gordijnen afgeschutte nissen.

Mijn hoofd tolde, zoveel gebeurde er om me heen. Te veel lawaai, te veel activiteit. Van alles te veel.

'Reed!'

Kiran dook op uit het niets en greep me bij mijn hand. 'Dansen, kom!' schreeuwde ze.

Ik keek naar Whittaker die me wegwuifde. 'Ga maar.'

'Ik zoek je straks wel weer op!' zei ik. Op dit moment leek hij het enige in mijn leven te zijn waarop ik kon rekenen.

'En anders zoek ik jou,' beloofde hij.

Voor de zoveelste keer die avond liet ik me meetrekken. We kwamen langs een soort garderobebalie waar een lange als engel verklede vrouw in wit papier verpakte cadeautjes van verschillende grootte uitdeelde. Een groepje meisjes pakte de cadeautjes aan en rende ermee naar een zijruimte.

'Wat zijn dat?' vroeg ik.

'De witte pakjes. Een bedankje van de Legacy voor bepaalde gunsten die de gasten elkaar verlenen,' zei Kiran over haar schouder. 'Cadeaus van minimaal duizend dollar.'

'Duizend dollar?' stamelde ik.

'Ja, maar dan nog krijg je nooit wat je wilt,' riep Kiran terug. 'Er is achteraf een ruilparty.'

Hoe was dit mogelijk? Hoe kon er zo'n feest bestaan? Hoe kon er zo veel rijkdom bestaan op de wereld?

Na enige tijd vond Kiran zowaar Noelle, Dash, Ariana, Taylor en Gage op de dansvloer en stortte zich in hun midden. Mij draaide ze een keer rond en liet me toen aan mezelf over. Ik had nooit goed kunnen dansen en voelde me dan ook een beetje opgelaten, tot ik om me heen keek naar de anderen. Niemand keurde me een blik waardig, dus sloot ik mijn ogen, hief mijn armen boven mijn hoofd en liet me gaan.

Louterend. Dat was het enige woord waarmee ik dit kon beschrijven. Hoe langer ik danste, hoe meer alles wat ik had meegemaakt, alles waar ik bang voor was geweest, naar de achtergrond verdween. De muziek was zo hard dat de bas-tonen uit mijn botten leken te komen en via mijn poriën uit mijn lichaam pulseerden, al het andere wegduwend.

Zo hoorde het te zijn. Midden op de dansvloer, onbe-reikbaar voor Whittaker, weg van die zijkamertjes waar ik weet niet wat gebeurde. Onbereikbaar voor Natasha en haar dreigementen, voor Constance en haar beschuldigingen, voor Thomas en zijn verraad en voor de angst die elke gedachte aan hem omringde. Dit was mijn eigen domein. Als ik hier de rest van de avond zou blijven, bij mijn vrienden, zou me niets overkomen.

'Vind je het leuk?' riep Noelle die naar me toe kwam dansen en haar armen om mijn nek sloeg. Zonder schaamte en met zekere bewegingen danste ze tegen me aan. Ik deed mijn best haar bewegingen en zelfvertrouwen te imiteren.

'Hartstikke.'

'Mooi zo. Je kunt dit wel gebruiken,' zei Noelle.

'Wat?' Ik had haar wel gehoord, maar had geen idee wat ze bedoelde.

Ze keek me aan. 'Je kunt dit wel gebruiken. Geniet ervan!'

Ik raakte uit het ritme en bonkte tegen haar heup. Ze lachte, draaide zich om en danste terug naar Dash. Leek het maar zo, of bedoelde ze 'geniet ervan zolang het nog kan'?

O, nee! Ze waren dus wél boos op me omdat ik was gezwicht voor Natasha's chantage. Ze gaven me nog even respijt en dit was een soort galgenmaal, een laatste hoogtepunt. Ze gunden me een blik in het hart van hun geprivilegieerde wereld, de Legacy, zodat het des te pijnlijker zou zijn als alles me weer werd ontnomen.

Plotseling misselijk draaide ik me om en keek of ik ergens een raam of een balkon zag, een plek waar ik adem kon halen. En toen zag ik hem. De grond verdween onder mijn voeten.

Thomas.

43

'Reed! Reed! Waar ga je heen?' riep Taylor me na.

Ik gaf geen antwoord. Kon niet. Geen tijd. Ik baande me een weg tussen de wervelende lichamen op de dansvloer, stond op tenen, werd geduwd en uitgescholden. Licht flitste, armen benamen me het uitzicht, maar ik hield mijn ogen op hem gericht als een sluipschutter op een vijandelijk doelwit. Daar stond hij, een drankje in zijn ene hand, zijn andere hand in zijn zak. Als hij iets naar links zou draaien, keek hij me recht aan.

Zou hij wegvluchten als hij me zag? Zou hij juist dichterbij komen? Waarom keek hij niet naar me?

'Thomas?' schreeuwde ik.

Op het moment dat ik aan de rand van de dansvloer kwam, draaide hij zich om en verdween achter een van donkere gordijnen. Ik graaide mijn rok bij elkaar en rende achter hem aan, om een zoenend stel heen, bukkend toen een acrobaat zich aan een van mijn haarspelden dreigde vast te spietsen. Ik hapte naar adem, schoof met een ruk het gordijn opzij, en daar stond hij, zijn rug naar me toe. Ik greep zijn schouder vast en draaide hem ruw om.

'Thomas!' hijgde ik, nauwelijks hoorbaar.

Het was Thomas niet. De jongen liet zijn verbijsterde bruine ogen even op me rusten en dook toen de nis uit alsof hij op heterdaad betrapt was. Hij was te groot, zijn haar te lang. In niets leek hij op Thomas. Hoe kon ik me zo vergist hebben?

Mijn hart bonsde in mijn keel. Ik keek verward op, merkte toen pas dat ik niet alleen was en begreep waarom Thomas' dubbelganger zich zo snel uit de voeten had gemaakt.

Daar in de hoek, met haar been over de schoot van een meisje, haar hand in het blonde haar van een meisje, haar tong zoekend naar de mond van een meisje, zat niemand anders dan Natasha Crenshaw.

'Wat…?'

Natasha keerde zich zwaar ademend om en nu kon ik duidelijk het gezicht zien van het meisje onder haar. De volle wangen, de zware make-up, de rauwe lippen; ze waren van Leanne Shore.

44

'O, dat komt goed uit,' zei Leanne zuur.

Ze was nog even sympathiek als ik me haar herinnerde.

'Het spijt me vreselijk,' zei ik achteruitlopend. 'Ik dacht dat ik hier iemand naar binnen zag gaan en...'

Natasha zette haar been op de grond en trok haar rok naar beneden. Ze steunde haar handen op haar knieën, haalde diep adem en stond op. Haar borsten bolden op boven haar rechte strapless jurk, die ze nu omhoog trok om wat meer van haar decolleté te bedekken.

Ik voelde me bedreigd. 'Dan ga ik maar.'

'Nee wacht,' zei Natasha.

Ik verstarde. Ik was op dit moment overal liever geweest dan hier, maar ik kon me niet bewegen.

'Je mag dit tegen niemand zeggen, Reed,' zei Natasha. Haar stem klonk smekend. 'Alsjeblieft. Ik weet dat je een rothekel aan me hebt – niet zonder reden – maar ik smeek je. Vertel dit aan niemand.'

Ik slikte en keek van haar naar Leanne, die haar blik afwendde. Smeekte Natasha me nu? Had ze zojuist toegegeven dat ik gelijk had dat ik haar haatte? Was dit Natasha doe-wat-ik-zeg Crenshaw?

'Geen woord. Ik zweer het.'

Natasha zuchtte en keek naar de grond.

'Hebben jullie... verkering?' vroeg ik.

Natasha en Leanne wisselden een lange blik. Toen ging Natasha met ritselende jurk weer naast Leanne zitten. Ze keken elkaar in de ogen. Buiten de nis dreunde de muziek door.

'Toe maar,' zei Leanne uiteindelijk met een zucht. Ze leunde achterover tegen de muur en kruiste haar armen over haar buik. 'Vertel het haar maar. Ze moet weten hoe ze werkelijk zijn.'

Ik kreeg het gevoel dat ik meer zou horen dan ik wilde weten.

Natasha pakte Leannes hand en hun vingers verstrengelden zich. Ze keek op en knikte. 'Ja, we zijn een stel,' zei ze toonloos. 'Sinds we eerstejaars waren.'

Ik ging op een bank tegenover hen zitten. 'Dus daarom moest ik spioneren van jou,' zei ik. 'Daarom wilde je zo graag dat Leanne terugkwam.'

Natasha liet haar hoofd voorover vallen en zuchtte. 'De chantage was doorgestoken kaart. Ik chanteerde je niet echt. Het was Noelle die mij chanteerde.'

Ik schudde langzaam mijn hoofd terwijl ik probeerde haar opmerking te begrijpen. 'Sorry, ik kan het even niet volgen,' zei ik. 'Wát zei je?'

Natasha leunde voorover. 'Ik moest van hen die foto's nemen, Reed,' zei ze. 'Ik moest jou van hen chanteren.'

Ik voelde me alsof een van de acrobaten hier zojuist naar binnen was gezwaaid, me omver had geduwd en me op de vloer had achtergelaten. Ik staarde naar de muur tussen Natasha en Leanne en hapte naar lucht. Er dansten zwarte vlekjes voor mijn ogen en ik sloot mijn ogen om een golf van misselijkheid te onderdrukken.

'Gaat het?' vroeg Natasha.

Ik legde een klamme hand tegen mijn hete voorhoofd. 'Maar waarom? Waarom?' was het enige wat ik kon uitbrengen. Ik deed mijn ogen open en probeerde te focussen op Natasha. 'Waarom zou je mij nou zoiets aandoen?'

'Omdat ze dreigden iedereen over ons te vertellen,' zei Natasha met een blik op Leanne.

'Nou en? Ben je bang onterfd te worden door je gelovige ouders of zo?'

'Nee! Het ging niet om mij,' zei Natasha. 'Mijn ouders weten wel dat ik lesbisch ben. Dat heb ik hen al verteld toen ik dertien was. Ze vinden het wel hip om een lesbische dochter te hebben.'

'Maar waarom dan?' vroeg ik. 'Ik begrijp het niet.'

'Voor mij, natuurlijk,' schreeuwde Leanne. 'Begrijp je dan niets? Als mijn ouders erachter komen, sta ik van het ene op het andere moment op straat. Dan onterven ze me niet alleen, ze maken me kapot. Dan mag ik van geluk spreken als ik nog ergens een baantje achter de kassa kan krijgen. Ze heeft het voor mij gedaan.'

Mijn mond zakte open. Ik staarde naar Natasha die met haar hand zachtjes Leannes gezicht aanraakte. Leanne haalde bibberig adem en veegde snel een traan weg. Toen kusten ze elkaar teder en troostend. Daarna bleven ze zitten met hun voorhoofden tegen elkaar.

Dit was niet zomaar een stel. Dit was een verliefd stel.

Toen ik me dat realiseerde, vergaf ik Natasha. Ze had het allemaal gedaan uit liefde, net zoals ik niets had gezegd over het briefje van Thomas, net zoals ik de hoop had gehouden dat ik hem hier vanavond zou zien. En zij had het dan ook nog gedaan onder druk van Noelles dreigementen. We wisten alle drie donders goed dat Noelles dreigementen niet louter dreigementen waren. Natasha had net als ik geen keus gehad.

Ik haalde diep adem en probeerde mijn gedachten op een rijtje te krijgen. Wat moest ik nu doen? Wat voor informatie had ik nodig om te weten wat ik nu moest doen? Er was in elk geval één vraag die beantwoord moest worden.

Ik duwde mijn vingers in de zachte bekleding van de bank. 'Wat is hun motief dan? Waarom dwingen ze jou om mij zover te krijgen dat ik ga rondsnuffelen in hun kamers? Ze moeten toch weten dat ik geen kant op kan als ik van school word getrapt. Dat ik het dus zou doen. Je moest eens weten wat voor gênante dingen ik allemaal gevonden heb. Vinden ze dat dan niet erg?'

'Dat moet je hen misschien maar eens vragen,' zei Leanne kort.

'Inderdaad. Je gelooft het waarschijnlijk eerder als je het uit hun mond hoort,' zei Natasha.

Ik knikte half verdoofd. Uit hun mond. Ja. Ze hadden wel wat uit te leggen.

'Wil je ons nu alleen laten?' vroeg Leanne met Natasha's hand in haar schoot. 'We zien elkaar niet zo vaak meer.'

Er klonk een beschuldigende toon door in haar stem. Alsof het mijn schuld was. En dat was in zekere zin misschien ook wel zo.

'Ja, sorry,' zei ik. Ik stond wankelend op mijn stilettohakken op. Bij het gordijn stond ik even stil en keek over mijn schouder naar Natasha. 'Maak je geen zorgen. Je geheim is veilig bij mij.'

Natasha glimlachte. Het was de eerste keer dat ze oprecht naar me lachte. 'Bedankt.'

Ik schoof het gordijn opzij en glipte naar buiten.

45

Waarom? Waarom deden ze dit? Waarom, waarom, waarom?

Buiten de nis stond ik even stil om op adem te komen. De naden van mijn jurk schuurden tegen mijn oververhitte lichaam. Ik zocht naar een verklaring, maar kon er geen vinden. Wat hadden de Billings Girls er in hemelsnaam bij te winnen als ik rondsnuffelde in hun kamers? Wilden ze echt dat ik al hun beschamende geheimen vond? Wilden ze echt dat ik bewijs vond voor wat ze Leanne hadden aangedaan? En als dat zo was, restte nog steeds mijn eerste vraag: waarom?

Het moest allemaal één groot, ziek spel zijn. Natasha, Leanne en ik waren de pionnen. Ze vonden het grappig om spelletjes met ons te spelen. Ze vonden het een kick om te zien hoe ver wij zouden gaan, dat was de enige mogelijke verklaring. Toen ik vanochtend naar hen was toegegaan om alles te bekennen en hen de stick had gegeven, waren ze al op de hoogte. Allang. Ze hadden alles van tevoren bedacht.

Dagenlang moesten ze me achter mijn rug om uitgelachen hebben. Moet je zien wat Reed doet. Moet je zien wat een dom rund ze is. Moet je zien wat een macht we over haar hebben.

Hoe langer ik erover nadacht, hoe meer zin ik kreeg om iemands haar uit te rukken.

Ik rechtte mijn schouders, haalde diep adem en stortte me op de dansvloer. Hier ging iemand boeten.

Profiterend van de adrenaline die door mijn aderen vloog, stormde ik door de menigte, her en der een elleboog- of heupstoot incasserend. Ik vond Noelle, Ariana, Taylor en Kiran waar ik ze had achtergelaten, midden op de dansvloer. Hijgend hield ik halt, pal voor Noelle, die ophield met dansen.

'We moeten praten,' zei ik.

Noelle legde haar handen op mijn schouders. 'Rustig maar

Reed,' teemde ze. 'Het is een feestje. Daar moet je feesten. Of hebben ze geen feestjes in Potjeneuk, Pennsylvania?'

Ik greep haar polsen. Meteen kwamen Ariana, Kiran en Taylor om ons heen staan. Ik was omsingeld, maar dat kon me niet schelen.

'We moeten praten,' herhaalde ik dreigend tussen mijn tanden.

Noelle sperde haar ogen open. 'Reed, je gaat toch niet moeilijk doen?'

'Ik kan nog veel moeilijker doen,' antwoordde ik. 'En nog veel harder ook. Maar waarschijnlijk heb je liever niet dat al deze mensen horen wat ik te zeggen heb.'

Noelle staarde me aan in een poging erachter te komen of ik blufte. Dat was zo. Ik zei maar wat. Als ik in het wilde weg ging schreeuwen, zou ik niet alleen het geheim van Leanne en Natasha verklappen, maar dan zou ik mezelf ontmaskeren als een naïeve zwakkeling en daar had ik geen zin in.

Ik kneep mijn ogen samen. Hoe langer we hier zo stonden, hoe duidelijker het werd dat ik aan de winnende hand was. Ik zag hoe ze begon te bezwijken. Ze was niet de enige die dit spelletje kon spelen.

Noelle trok haar hand los uit mijn greep. 'Oké. Je hoeft niet meteen gewelddadig te worden.' Over mijn schouder heen keek ze naar de anderen.

'Kom dames, dan zoeken we een kamer.'

46

Noelle liet zich zakken op een grote, met fluweel beklede stoel in een van de nissen. 'Nou Reed, daar zitten we dan,' zei ze. Ze schopte haar schoenen uit en trok haar voeten op onder haar wijde rok, alsof ze zich opmaakte voor een gezellig gesprek bij een kopje thee. De anderen kwamen om haar heen zitten op krukjes en chaises longues.

Het zag er allemaal even rustig en beschaafd uit. Een voorbeeldig samenzijn van mooie, zelfbewuste, bevoorrechte vrouwen. Maar ik kookte ondertussen van binnen.

'Ik weet wat jullie gedaan hebben,' zei ik. 'Ik weet dat jullie Natasha gechanteerd hebben om mij te chanteren.'

Noelle staarde me aan. 'En wil je nu een medaille?'

Ik kneep mijn handen tot vuisten. 'Ik wil weten waarom,' zei ik. 'Waarom hebben jullie mij dit aangedaan? Wat hebben jullie daarbij te winnen?'

Noelle haalde diep adem en zuchtte. Ze keek opzij alsof dit allemaal intens oninteressant was.

'Het gaat niet om wat wij erbij te winnen hebben, maar wat jij erbij te winnen hebt,' zei Ariana, ontspannen uitgestrekt op een chaise longue. Ze keken me allemaal afwachtend aan, alsof ze verwachtten dat ik hen nu ging bedanken.

'Wat bedoel je daarmee?' vroeg ik. 'Ik begrijp je niet.'

'Ze bedoelt dat we jou op de proef hebben gesteld en dat je geslaagd bent!' deelde Kiran plechtig mee. Uit haar tas haalde ze het flesje dat ze altijd bij zich had en hief het op. 'Dat moeten we vieren.'

Ik sloot mijn ogen in een nieuwe golf van frustratie. Nu wist ik nog minder dan toen ik zojuist hier binnen was gekomen.

'Op de proef gesteld? Hoezo dan? Waarvoor?' vroeg ik.

Kiran nam een flinke slok en depte haar lippen met haar

vingertoppen. Noelle schudde geïrriteerd haar hoofd. Ariana staarde alleen maar voor zich uit.

'Om te zien of we je konden vertrouwen,' zei Taylor rustig, haar blik op de grond gericht. Haar voeten waren naar binnen gedraaid, als bij een meisje dat op het schoolplein op haar moeder staat te wachten. 'We hebben het gedaan om te zien of we je konden vertrouwen.'

Om te zien of ze me konden vertrouwen? Of ze me konden vertrouwen?

'En ik ben geslaagd? Hoe kan dat nou?' zei ik. 'Ik heb toch rondgesnuffeld in jullie kamers? Ik heb allerlei rare persoonlijke dingen gevonden. Het was een vreselijke inbreuk op jullie privacy. Hoe kan ik dan geslaagd zijn?'

Noelle lachte. 'Niks inbreuk. Die spullen hadden we allemaal voor je klaargelegd.'

'Wát?!' Ik moest even gaan zitten. Ik liet me op de dichtstbijzijnde fluwelen bank vallen en zakte in elkaar. De afgelopen weken trokken in een oogwenk aan me voorbij. Was het allemaal echt gebeurd? 'Dat moet een grap zijn.'

'Dacht je echt dat ik boulimia had?' zei Kiran schaterend. 'Kom op zeg. Ik kan alles eten wat ik wil. Dat is gewoon erfelijk.'

'Ja. Die had ik bedacht,' zei Taylor, duidelijk trots.

'Maar het dagboek van Taylor was van mij,' bracht Kiran naar voren. 'Goed gedaan, hè?'

'Ja, goed gedaan,' antwoordde Taylor. 'Maar ik heb nog dagen kramp in mijn vingers gehad.'

'Die foto's van Dash waren trouwens echt. En niet gefotoshopt,' zei Noelle met een tevreden grijns. 'Daar heb ik mooi geluk mee gehad, vind je niet?'

Ik voelde gal opwellen achter in mijn keel. Ze hadden me niet alleen in de val gelokt, ze hadden ook nog enorm veel moeite gedaan om dat voor elkaar te krijgen. Het moest hen dagen gekost hebben om alles te bedenken en uit te voeren. Ze hadden al die tijd achter mijn rug om lopen konkelen. En ik maar denken dat ze mijn vriendinnen waren. Vanaf dag één hadden ze me voor de gek gehouden. Hadden ze ooit over wat dan ook de waarheid gesproken?

'Ik zal nooit je gezicht vergeten die ochtend nadat Natasha je de foto's had laten zien,' zei Kiran vrolijk. 'Op mijn verjaardag, weet je nog? Bij elk cadeautje dat we je gaven werd je een tintje bleker.'

'De timing had niet beter kunnen zijn,' zei Ariana. 'Je zonk bijna door de grond van schuldgevoel,' voegde ze er haast trots aan toe.

'Eerlijk gezegd valt het me een beetje tegen dat je er niet zelf achter bent gekomen,' zei Noelle. 'We hebben zo vaak geblunderd.'

'O ja! Die keer dat ik binnenkwam toen jij in mijn kamer was. Ik mocht daar helemaal niet zijn,' zei Taylor. 'Ik was glad vergeten dat jij zou rondsnuffelen, maar toen ik je zag, wist ik meteen dat je al onder mijn bed had gezocht. Toen ik begon over dat opstel, deed je zó lief. "Iedereen weet dat je de slimste leerling bent die ooit hier op school heeft gezeten."' Ze herhaalde de woorden die ik had gezegd om haar te troosten.

'Dat was echt heel lief van je, Reed.'

'En dan dat gedoe over wachtwoorden,' zei Kiran. 'We hebben je bijna voorgezegd hoe je in Ariana's computer moest komen.'

'Maar van mijn agenda ben je waarschijnlijk helemaal gek geworden,' zei Ariana. 'Sorry daarvoor.'

Nog nooit in mijn leven had ik me zo vernederd gevoeld. Ze hadden het al die tijd geweten. Ze hadden me bespeeld als een marionet. Ariana had me die avond expres haar tas gegeven. Ik was helemaal niet slim of stiekem of achterbaks geweest. Ik was hier het slachtoffer.

'Maar goed, waar het eigenlijk om draaide, was de vraag of je ons wel of niet zou verraden als je iets belastends vond,' zei Noelle. 'Als wij zouden dreigen om je hele toekomst te vernietigen – door je van school te laten trappen – en als je dan nog loyaal zou blijven, was je geslaagd.'

'En dat ben je gebleven,' zei Ariana eenvoudig. 'Dus nu weten we dat we je volkomen kunnen vertrouwen. In alles.'

Er trok een koude rilling over mijn huid en ik sloeg mijn armen om mezelf heen. Ik kon niet geloven dat dit met me gebeurde. Alle angst, al het gespioneer, al het schuldgevoel; het was allemaal voor niets geweest.

'Wat zouden jullie gedaan hebben als ik met die USB-stick naar de rector was gestapt?' vroeg ik met mijn blik op de grond. 'Jullie speelden wel een gevaarlijk spelletje. Ik had jullie allemaal van school kunnen laten trappen.'

Noelle lachte nogmaals en dit keer vielen de anderen in. 'Kom op, Reed. Er is heel wat meer voor nodig om ons van school te laten trappen. Er is nooit sprake geweest van enig gevaar.'

'Behalve voor jou,' zei Kiran, wijzend naar mij. 'Voor jou dreigde er wel gevaar. Als die foto's in de openbaarheid waren gekomen, had je binnen de kortste keren in de bus terug naar Croton gezeten.'

'Ze maken je behoorlijk chantabel,' zei Noelle op vanzelf-sprekende toon.

Ik klampte me vast aan de bank en boog voorover, vech-tend tegen de misselijkheid. De meisjes lachten. Het was al-lemaal één grote grap voor hen. Leuk, spelletjes spelen met de gevoelens van mensen. Met hun levens. Met hun toekomst.

Ariana stond op. 'Nou, kom op, Reed,' zei ze. Ze kwam naast me zitten, sloeg een arm om mijn schouder en raakte met haar andere hand mijn pols aan. Haar vingers waren ijzig. 'Nu is het allemaal weer goed. Het komt allemaal weer in orde. Je begrijpt toch wel wat dit betekent?'

Dat jullie allemaal gestoord zijn. Dat jullie door en door slecht zijn. Dat ik in het kamp van de duivel zit.

'Het betekent dat je nu een van ons bent,' zei Ariana zacht-jes. 'Helemaal.'

'Het betekent dat je niet langer ons sloofje bent,' zei Taylor. 'Wat wel jammer is, want ik heb er een hekel aan om mijn eigen bed te moeten opmaken,' voegde Kiran eraan toe, voordat ze de fles weer aan haar mond zette.

'Je hoort er nu bij,' zei Noelle. 'En dit keer echt. Voor nu en altijd. Geen geheimen meer.'

Om de een of andere reden trok er een rilling van opwinding door me heen toen ik die woorden hoorde. Zelfs in deze staat van totale verwarring en wanhoop, was ik opgetogen bij het idee dat ik vanaf nu bij dit stelletje gestoorde types hoorde. Er was iets grondig mis met mij.

Ik had me laten misleiden, zoveel was nu wel duidelijk. Ik kon niet meer terug. Ik keek eindelijk op en ontmoette Noelles donkere ogen aan de andere kant van de kamer.

'Geen geheimen meer?' vroeg ik.

'Nooit meer.'

Ik haalde diep adem en keek naar Ariana. Ze staarde terug met die raadselachtige glimlach. Ergens was ik nog boos en ik wist dat een deel van mij altijd boos zou blijven, maar dit was waarvoor ik gekozen had. Toen ik in Billings was toegelaten, had ik geweten waar deze meisjes toe in staat waren, tot op zekere hoogte althans, en toch had ik voor hen gekozen omdat ik wist wat ze voor mij zouden kunnen betekenen. Wat voor soort toekomst ik dankzij hen zou kunnen hebben. En in het hier en nu gaven ze me het gevoel speciaal en belangrijk te zijn. Het gevoel dat ik echte vrienden had. Daar had dit hele spel uiteindelijk om gedraaid. Ze hadden het misschien op een vuile manier gespeeld, maar dat was omdat ze zeker wilden weten dat ik een trouwe vriend zou zijn.

Het draaide allemaal om loyaliteit, zoals Whittaker al gezegd had. Loyaliteit was het belangrijkst.

Die les had ik nu geleerd.

'Vrienden?' vroeg Ariana ten slotte.

'Ja, en mogen we dan nu eindelijk weer terug naar het feest?' voegde Noelle eraan toe terwijl ze opstond. 'Ik heb het een beetje gehad met dit gesprek.'

'Ja,' zei ik en ik geloofde bijna niet dat ik het was die dat zei, 'vrienden.'

Nu de adrenalinerush voorbij was, voelde ik me uitgeput, maar ik slaagde erin omhoog te komen van de bank. Taylor gaf me een snelle knuffel en glipte voor ons uit naar buiten. Kiran kuste me op beide wangen, knipoogde en volgde haar. Ariana duwde slechts het gordijn opzij en stapte naar buiten. Ik wilde haar volgen toen ik bedacht dat de belangrijkste vraag van vanavond nog niet beantwoord was. Ik stopte en draaide me om naar Noelle.

'En de documenten die ik op Ariana's computer heb gevonden, de spiekbriefjes en de sms'jes,' zei ik, 'die waren dus ook expres daar neergezet?'

Noelle glimlachte traag. 'Alles heeft een reden, weet je nog, Reed? Alles heeft een reden.'

47

Uren later liepen we samen hand in hand Park Avenue op, terwijl we lachend probeerden om Kiran overeind te houden, die niet meer op haar benen kon blijven staan. De avond was voorbijgegaan in een werveling van drank, muziek en gesprekken. Ik had de nissen de rest van de avond gemeden en was veilig met de andere meisjes in de balzaal gebleven. Noelle en Dash waren verdwenen en kwamen een uur later weer tevoorschijn, met verward haar en een voldane grijns op hun gezicht. Kiran was hem gesmeerd met een groepje mensen uit Kent en was teruggekomen in een andere jurk, wat iedereen in lachen had doen uitbarsten. Het was blijkbaar een privégrapje waar ik maar niet verder naar vroeg; ik had het gevoel dat ik niet wilde weten waar het over ging.

Dankzij de traditionele witte cadeautjes liep Kiran rond met een witte bontstola over haar nieuwe jurk. Taylor torste een prachtige tas van Coach, aan Ariana's vingers bungelde een paar Dior-schoenen en Noelle droeg een kristallen kroontje dat ongetwijfeld in de bak rotzooi onder haar bed zou verdwijnen zodra we thuis waren. Ik had een prachtige witgouden Tiffany-ring met saffieren aan mijn rechterhand, met een meisje uit Barton geruild voor een afzichtelijke couture-ceintuur. Afgezien van de diamanten van Whittaker was dit mijn eerste echt serieuze sieraad. Ik moest er elke vijf seconden naar kijken.

Dat deed ik dan ook net toen een vlezige hand de mijne pakte, terwijl de poort achter me in het slot klikte. Ik keek geschrokken en een beetje aangeschoten op. Daar was Whittaker.

'Whit,' zei ik glimlachend, 'Waar heb jij al die tijd gezeten?'

'Dat wilde ik jou net vragen,' zei hij een beetje mokkend. 'Ik heb je de hele avond nauwelijks gezien.'

Achter me begonnen Noelle, Ariana en Taylor te giechelen.

'Weet ik, het spijt me,' zei ik en legde een hand op zijn borst. 'Ik was aan het feesten met de meiden.'

'Wat viel er te vieren?' vroeg hij.

Noelle sloeg haar arm rond Whittakers brede schouders. 'Meidendingen, schat,' zei ze. 'Meiden. Dingen.' Bij de laatste twee woorden tikte ze hem met haar vlakke hand in zijn gezicht.

Ze moest er zelf hysterisch om lachen en ik lachte mee. Misschien had ik toch wat meer gedronken dan ik dacht.

'Kom op jongens,' zei Josh in een poging de groep in het gareel te brengen. 'Anders missen we de laatste trein.'

We volgden hem in een wankele massa van hoge hakken, zijde, losgeknoopte overhemden en scheefhangende jasjes. Whittaker, die broodnuchter leek, hield zijn arm om me heen en ik was dankbaar voor zijn warmte en ondersteuning. Achter me hoorde ik de onregelmatige voetstappen van de meisjes. Het zou een wonder zijn als er niet een van hen een enkel brak.

'Vond je het leuk?' vroeg hij.

'Ik vond het fantastisch,' verklaarde ik. 'Heel erg bedankt dat je me als introducé hebt meegenomen.'

Whittaker trok me wat dichter naar zich toe. 'Graag gedaan,' zei hij. 'Zeg, wat zou je ervan vinden om ons huis aan het Tahoe-meer eens te bezoeken nu het wat kouder wordt? Mijn ouders vinden het vast leuk om je te ontmoeten.'

Ik struikelde over een naad tussen de stoeptegels en greep me aan hem vast om mijn evenwicht te bewaren.

Ouders. Ontmoeten. Ouders ontmoeten. Nee, verkeerde jongen.

Even draaide de wereld om me heen, maar daarna kwam alles weer op zijn plek. Ik liet Whittaker los, ging op mijn eigen voeten staan en keek hem aan.

'Whit, kan ik je even onder vier ogen spreken?'

'Natuurlijk,' zei hij. Hij keek naar de anderen. 'Lopen jullie maar vast door. Wij komen zo.'

Noelle wierp me een veelbetekende blik toe en liep toen verder met de anderen in haar kielzog. Ik haalde diep adem. Hoe dronken ik ook was, ik wist wat me te doen stond. Dit had lang genoeg geduurd. Whittaker verdiende het de waarheid te horen.

'Whittaker, het spijt me heel erg, maar volgens mij moeten we het uitmaken.'

'Sorry?' vroeg Whittaker.

'Ik vind het heel vervelend, want ik mag je erg graag. Je bent een leuke jongen,' zei ik. 'Maar eerlijk gezegd... voel ik me niet tot je aangetrokken.'

Whittaker keek naar zijn schoenen. 'O. Dat was lomp.'

Mijn ogen werden vochtig. 'Het spijt me, dat was niet mijn bedoeling. Ik dacht dat ik maar beter eerlijk kon zijn.'

Whittaker haalde diep adem en knikte. 'Je hebt gelijk,' zei hij uit het veld geslagen. 'Ik kan niet zeggen dat ik niet teleurgesteld ben, maar het is fijn dat je eerlijk bent.'

Ik hield mijn hoofd schuin. 'Whit, geloof me, ooit ga je een meisje ongelooflijk gelukkig maken.'

Whittaker lachte. 'Ik hoop het,' zei hij.

Ik wankelde op mijn hakken en hij sloeg zijn arm om mijn schouders. Had ik het net uitgemaakt, zorgde hij nog steeds voor me! Het deed me denken aan Constance en hoe ze mijn hand had vastgehouden de ochtend toen de verdwijning van Thomas werd meegedeeld. Ik hoopte dat deze twee ooit een stel zouden worden. Ze waren perfect voor elkaar.

'Echt,' zei ik met dubbele tong. 'Ik ken trouwens nog wel iemand. Jij kent haar ook. Je moet gewoon een keer met haar uitgaan. Je zult zien dat je verliefd op haar wordt.'

Whittaker glimlachte droevig. 'Misschien moeten we dat maar verder in de trein bespreken,' zei hij. We begonnen weer te lopen.

'Dat is goed,' zei ik. Mijn ogen vielen half dicht terwijl we verder liepen.

De trein. Een zachte bank, misschien een dutje; dat klonk

als een fantastisch idee. Maar hoewel ik daarnaar uitkeek, kon ik niet geloven dat het voorbij was. De Legacy, mijn 'relatie' met Whit, mijn eerste keer in New York. Alles was in een roes voorbijgegaan, zonder een glimp van Thomas.

Hij was niet komen opdagen. Ik had achteraf gezien niet eens hoeven komen. Ik haalde diep adem en zuchtte grimmig. Plotseling kon ik alleen nog maar denken aan teruggaan naar Easton. Ik wilde dit alles achter me laten.

48

Met mijn voorhoofd tegen het koele glas van het raam keek ik toe hoe de zon langzaam boven de herfstbomen uit klom en de wereld weer tot leven wekte. De kadans van de trein had de meeste van mijn huisgenoten allang in slaap gewiegd, maar ik kon mijn blik niet losmaken van het uitzicht, zo prachtig was het. Nevelig, maar adembenemend en barstensvol nog ongekende mogelijkheden. Ik wilde niets missen.

Overal om me heen lagen mensen te soezen en te snurken. Noelle was met scheefgezakt kroontje in slaap gevallen met haar hoofd op de schouder van Dash. Die had zijn jasje tot over zijn gezicht getrokken; zijn arm lag om Noelles rug geslagen en hij hield zijn hand in een teder gebaar om haar elleboog gevouwen. Ik had ze nog nooit zo vredig gezien in elkaars aanwezigheid.

Ergens achter in de coupé zaten Ariana en Taylor te fluisteren. Kiran lag volkomen van de wereld uitgestrekt over drie stoelen, haar hoofd op de schoot van Gage, met het bontje eronder als kussen en het jasje van Whittaker als deken over zich heen.

Whit had geprobeerd Gage zover te krijgen dat hij haar zijn jasje gaf, maar die had kortaf: 'Ja doei, ik heb het ook koud, hoor,' geantwoord, waarop Whittaker onmiddellijk zijn eigen jas had uitgetrokken en die over Kiran had uitgespreid. Nu lag hij voor in de coupé keihard te snurken met zijn armen om zichzelf heen geslagen.

Toen ik een zucht hoorde, keek ik naar rechts. Daar zat Natasha rechtop naast het raam met haar elleboog rustend op haar opgetrokken knie en haar vingers tegen haar mond. Ze staarde peinzend en met een treurige blik naar het voorbijtrekkende landschap. Ik vroeg me af hoe het verder tussen ons zou gaan. Ongewild had ze haar grootste geheim met me gedeeld. Zouden we nu vriendinnen worden of vijanden blijven? Ik hoopte het eerste. Nu ik wist dat ze me niet had willen chanteren, leek het me wel interessant om haar beter te leren kennen.

Ik ontwaakte uit mijn gedachten doordat ik vanuit mijn ooghoeken iemand zag naderen. Toen ik langzaam opkeek zag ik het gezicht van Josh en mijn hart sprong op. Dat was al de tweede keer vanavond. Wat moest dat hart van mij toch?

'Hoi,' zei ik.

'Hoi. Mag ik…?' Hij wees naar de lege stoel naast me.

'Ga je gang.'

Josh ging zitten en leunde achterover. Hij was de minst verfomfaaide van alle jongens in de trein. Zijn overhemd was nog ingestopt, zijn das was maar een klein beetje losgemaakt en al zijn knopen op een na zaten nog vast. Het ontging me niet dat dat waarschijnlijk betekende dat hij die avond zijn handen thuis had gehouden, wat ik wel een prettige gedachte vond.

'Dat was me het avondje wel, hè?' zei hij.

'Dat kun je wel zeggen,' antwoordde ik.

'Maar geen Thomas.'

De trein nam snerpend een bocht. Ik hield mijn adem in en zette me schrap tegen de rugleuning voor me. Josh grinnikte en raakte mijn arm aan.

'Rustig maar, het is maar een bocht,' zei hij.

'Weet ik.'

Ik was meer geschrokken van het feit dat ik niet meer moeite had gedaan om Thomas te vinden. Er waren zelfs momenten geweest dat ik helemaal niet aan hem gedacht had. En misschien was dat maar beter.

'Het gaat vast goed met hem,' zei ik, vooral om maar iets te zeggen.

De waarheid was dat het me op dat moment niet meer kon schelen. Hij was weggegaan. Hij was 'm gesmeerd zonder ook maar gedag te zeggen en hij had mij in mijn eentje achtergelaten met de Billings Girls, Whittaker en de politie. Ik liet hem duidelijk koud. Ik had er alles aan gedaan, ik was zelfs uitgegaan met een jongen die me niets deed, alleen maar om te zorgen dat ik naar de Legacy kon om hem te zien, maar hij had niet eens de moeite genomen om te komen. Hij moest geweten hebben dat ik er waarschijnlijk zou zijn, maar desondanks was hij weggebleven.

Vanaf dit moment was ik over Thomas Pearson heen. Vanaf dit moment pakte ik mijn leven weer op.

'Ja, vast wel,' zei Josh zonder overtuiging.

'Weet je, Josh, ik wil niet meer over Thomas praten,' zei ik. 'Ik hoop dat het goed met hem gaat, maar eerlijk gezegd heb ik het gehad met hem. Hij leeft ergens zijn leven en dat mag hij doen, maar het betekent ook dat ik het mijne mag leven.'

Josh keek me aan met opgetrokken wenkbrauwen. 'Meen je dat?'

'Ja, echt.'

'Dat lijkt me een gezond standpunt,' zei hij.

'Dat lijkt me ook.'

En bij die woorden ontsnapte me een enorme geeuw. Het voelde alsof er een liter adrenaline uit mijn lichaam vloeide. Mijn ogen zakten dicht en ik leunde naar Josh toe om mijn hoofd op zijn schouder te leggen.

'Moe?' vroeg hij.

'Best wel.'

'Kom maar hier.'

Hij tilde zijn arm op zodat ik tegen hem aan kon kruipen. Het intieme gebaar joeg een blos op mijn wangen, maar tegelijkertijd voelde het heel natuurlijk. De afgelopen weken was Josh een goede vriend gebleken en ik voelde me bij hem volkomen op mijn gemak. Meer op mijn gemak dan ik me bij Whit had gevoeld. En zeker meer op mijn gemak dan bij Thomas, met wie je nooit wist waar je aan toe was.

Binnen twee seconden kreeg ik kramp in mijn nek. Ik schoof mijn hoofd heen en weer op zoek naar een zacht plekje, tot Josh zijn arm opnieuw optilde en op zijn schoot wees. Met een zucht legde ik mijn hoofd op zijn dij. Ja, dit lag heerlijk.

'Bedankt,' mompelde ik.

'Geen dank.'

En terwijl ik wegzakte met in mijn oren het gedempte gefluister van mijn vriendinnen en het rustgevende geluid van de trein, zou ik gezworen hebben dat Josh zachtjes mijn haar achter mijn oren streek.

Glimlachend viel ik in slaap.

49

Tegen de tijd dat we iedereen de trein uit hadden en we door de straten van Easton waren teruggesjokt, had de ochtendschemering plaatsgemaakt voor een dikke mist. Onze hoge hakken zakten weg in het bedauwde gras en de zachte aarde. Ik zuchtte dan ook van opluchting toen ik mijn schoenen uitdeed. Ik hing mijn schoenen aan mijn vingers en bewoog al lopend mijn tenen. De opluchting duurde ongeveer tien seconden, toen waren mijn voeten veranderd in ijsblokken.

Josh stootte me zachtjes aan met zijn arm. 'Gaat het?'

'Ja hoor. Ik wilde alleen dat ik al thuis was.'

Thuis. Thuis was Easton. Thuis was Billings House. Het was voor het eerst dat ik me dat realiseerde.

Eindelijk kwamen we bij het hek dat rond het terrein van Easton stond. We volgden de metalen buizen tot we bij een rafelige opening kwamen, die schuilging achter struiken. Een voor een kropen we er met ons hoofd omlaag doorheen, onze rokken tegen ons aan geklemd, zodat die nergens zou blijven hangen. Na de fantastische avond had niemand zin gehad om weer een spijkerbroek en een trui aan te trekken. Als we nu gesnapt werden, maakte het toch niet meer uit wat we aanhadden en iedereen was te moe geweest om zich nog te verkleden.

Eenmaal aan de andere kant van het hek bleef ik bij Josh in de buurt, uit angst hem in de mist uit het oog te verliezen. Terwijl we de heuvel af liepen kon ik de anderen wel horen, maar niet zien.

'Eng hè?' zei Josh.

Ik rilde en wreef over mijn blote armen. 'Ja, maar zo kunnen ze ons tenminste niet zien.'

Als dit feest elk jaar was, en dronken leerlingen zich elk jaar bij zonsopgang terug naar school sleepten, was het een wonder dat er nog nooit iemand betrapt was. Hoe dichter we bij de gebouwen kwamen, hoe harder ik rilde en klappertandde. Als we gesnapt werden, was ik erbij. Als we gesnapt werden was het allemaal voor niets geweest.

We staken het voetbalveld over en liepen gebukt achter elkaar langs de bosrand die uitkwam achter Billings en de andere ouderejaarsgebouwen. Aan het eind stopten we en hielden onze adem in. De mist dempte elk geluid.

'Allemaal klaar?' fluisterde Dash.

Een paar mensen knikten. Ik kon nauwelijks ademhalen. Het was bijna zover. Nog even en we zouden veilig zijn.

'Nu!'

Iedereen bukte en zette het op een rennen. Josh pakte mijn hand en een paar mensen lachten toen we de laatste meters open ruimte tussen de bosrand en de westelijke muur van Dayton House, een van de meisjeshuizen, overstaken. Daar drukten we ons hijgend maar opgelucht tegen de koude, natte stenen. Hier, tussen de gebouwen, was de mist minder dik. Ik wilde Josh net loslaten om naar Billings te lopen, toen ik omkeek naar mijn vriendinnen en zag dat hun gezichten beschenen werden door rode en blauwe flitslichten.

'Wat is dat?' vroeg iemand.

'Wacht eens.'

Josh maakte zijn hand los uit de mijne en sloop naar de hoek. Eerst stak hij alleen zijn hoofd eromheen, maar toen ging hij rechtop staan en deed geen moeite meer verborgen te blijven.

'O, nee,' hoorde ik hem zeggen.

Alle lucht werd uit mijn longen geperst. 'Wat is er?'

Onze nieuwsgierigheid won het van de angst om betrapt te worden. We liepen naar de hoek en gingen om Josh heen staan. Ik wist niet of ik in elkaar wilde zakken of wegrennen toen ik zag wat er aan de hand was.

Overal politiewagens. Op het gras tussen de studentenhuizen. Op het plein. Alle leerlingen stonden buiten in verschillende staat van ontkleding, fluisterend toekijkend hoe de agenten pratend en bevelen schreeuwend om hen heen liepen.

'We zijn er geweest,' zei iemand achter me.

Dat klopte. Elke politieagent binnen een straal van honderdvijftig kilometer leek het bevel te hebben gekregen hierheen te komen. En terecht. Er waren dertig leerlingen verdwenen. Dertig van de meest vooraanstaande en meest welgestelde kinderen in het land. Natuurlijk werd dan alles uit de kast gehaald.

'Nee, het gaat niet om ons,' zei Josh. 'Moet je kijken.'

Hij had gelijk. Sommige leerlingen zaten met wijd open-gesperde ogen en opengezakte monden op de bankjes. Anderen huilden. Bij de achteringang van Bradwell stonden drie meisjes met hun armen om elkaar heen. Ergens vlak bij ons stond iemand hardop te snikken.

'Wat is er in hemelsnaam aan de hand?' zei Dash.

'Kom op.'

Bij die woorden rende Dash, Gage, Josh en Whittaker en wat andere jongens naar het plein. De rest van ons bleef aan de grond genageld staan. Ik kon maar één ding denken.

Thomas.

Ik draaide me met een ruk om en keek naar Noelle. Haar gezicht was zo wit als de mist die om haar heen kringelde. Zonder te knipperen staarde ze langs me heen.

'Denk je dat het…?'

Ik werd onderbroken door bonkende voetstappen. Een hand kwam zwaar op mijn schouder neer en onmiddellijk werd ik van top tot teen door angst bevangen.

'Reed.' Het was Josh die mijn naam zei, met een hese, gespannen stem.

'Reed.'

Ik draaide me langzaam om. Ik wilde hem niet aankijken. Ik wilde niet in zijn gezicht zien wat ik in zijn stem al gehoord had. Hijgend stond hij voor me, terwijl de tranen langs zijn gezicht stroomden.

'Thomas. Ze hebben zijn lichaam gevonden.' Met zijn handen zocht hij steun op zijn knieën. 'Reed, hij is… Thomas is dood.'

De tijd stond stil.

Ik sloot mijn ogen en kneep mijn handen tot vuisten, zo hard dat ik mijn nagels door mijn vel heen voelde snijden. Zonder woorden smeekte ik mijn hart om te blijven kloppen, dwong ik mijn longen om te blijven ademen. Ik keek naar mijn handen, naar mijn nieuwe ring die glinsterde in het zwaailicht. Daar probeerde ik me op te concentreren, alleen daarop.

Ik zou gaan schreeuwen als ik nu mijn mond ook maar een klein stukje zou opendoen. Schreeuwen en nooit meer ophouden.

Wat vind jij van dit boek?

Ga naar http://katebrian.hyves.nl
en geef je mening!